新潮文庫

旅する力

—深夜特急ノート—

沢木耕太郎著

新潮社版

9174

目次

序章　旅を作る……………………………………九
人は旅をする。だが、その旅はどこかに在るものではなく、旅をする人が作るのだ。「余儀ない旅」ではなく、「夢見た旅」を始めようとするとき……
第一章　旅という病……………………………………三
もし旅が病だとすれば、私がそれに冒されたのはいつのことだったのだろう。幼いころ、ひとり電車に乗って行ったあの旅においてだったのだろうか……
第二章　旅の始まり……………………………………九一
果たして陸路でロンドンまで行けるのだろうか？　不安を抱えたまま躊躇していた私の背中を押してくれたのは、雑誌に載ったある文章の一節だった……

第三章　旅を生きる……………………………………一三

その旅における最大の幸運は、第一歩を踏み出したのが香港だということだった。そこから徐々に異国というものに慣れていくことができたからだ……

第四章　旅の行方……………………………………二二五

旅から帰ってきた私は、以前とあまり変わらない日常に戻っていった。『深夜特急』を書くという、もうひとつの、さらに長い旅が待っているとは知らないまま……

第五章　旅の記憶……………………………………二六九

いくつになっても旅はできる。しかし、旅にはその年齢にふさわしい旅というのがあるのかもしれない。その年齢でなければできない旅が……

終章　旅する力……………………………………………三一九
旅は自分の「背丈」がどれほどのものかを教えてくれる。
だが、その「背丈」を高くしてくれるのも、困難を切り
抜けていく中での旅であるかもしれないのだ……
あとがき………………………………………………三四七
[対談]　あの旅の記憶　大沢たかお
沢木耕太郎　三六三

旅する力

深夜特急ノート

序章　旅を作る

旅とは何か。その問いに対する答えは無数にあるだろう。だが、私には、大槻文彦《おおつきふみひこ》が『大言海』で記した次の定義がもっとも的を射たもののように思われる。

《家ヲ出デテ、遠キニ行キ、途中ニアルコト》

旅とは途上にあること、と言うのだ。ここから人生は旅に似ている、あるいは旅は人生のようだという認識が生まれてくる。人生もまた「途上にあること」と定義されうるからだ。

トルーマン・カポーティの『ティファニーで朝食を』の主人公ホリーの名刺風カードには、「トラヴェリング〈旅行中〉」という文字が刷り込まれていることになっている。彼女にとっては、南米の海岸やアフリカのジャングルだけでなく、ニューヨークのマンハッタンに住んでいるときでさえ、「トラヴェリング〈旅行中〉」であることに変わりないのだ。まさに、ホリーは「途上にある者」ということになる。

しかし、旅は同時に、終わりがあるものでもある。始まりがあり、終わりがある。そこに、旅を作る、という要素の入り込む余地が生まれるのだ。

人は旅をする。だが、その旅はどこかに在るものではない。旅は旅をする人が作るものだ。

かりにそれがすべてお仕着せの団体旅行であっても、旅はどこかその人によって作られるという要素を含んでいる。

たとえば、ひとりの女性が、『赤毛のアン』の舞台となったカナダのプリンス・エドワード島をめぐるパックツアーに参加するとしても、アン・シャーリーが歩いたことになっている土地に行ってみたい、という夢を抱くことがすでに旅を作ることの始まりなのだ。

あるいは、ひとりの若者が、イタリアのミラノでサッカーのACミランとインテルとの「ダービーマッチ」を観戦するツアーに参加したとする。彼は、試合の翌日の自由行動日に、かつて日本のスター選手が所属していたチームのあるパルマに行ってみようとするかもしれない。ミラノからは楽に日帰りができる距離にあるからだ。そこの小さなトラットリアでパルマハムとパルメザンチーズのかかったパスタを食べたあと、何の気なしに入った古い宮殿でレオナルド・ダ・ヴィンチの小さなスケッチ、それも美しい女性を描いたスケッチを見つけて驚愕《きょうがく》するかもしれない。こんなところにダ・ヴィンチの絵があるのか、と。そのようにしても、旅は作られていく。ましてや、すべてを自分の好きなようにしていい個人旅行では、あらゆる決定が旅を作ることに直結する。どこに行くのか。どのようなルートで行くのか。どのくらい滞在するのか。そこで何をするのか……。

旅はどこかに在るものではなく、旅をする人が自分で作るものである。どんな旅も、旅する人が作っていくことによって、旅としての姿が整えられていく。

アメリカにアン・タイラーという女性作家がいる。アメリカではすでにベストセラー作家として知られていたが、日本ではなかなかその著作が邦訳されることはなかった。ところが、あるとき、そのアン・タイラーの小説が続けて二冊邦訳された。私にとってその二冊の本は、「旅」というものを考える重要な契機を与えてくれるものになった。

その一冊は『夢見た旅』であり、もう一冊は『アクシデンタル・ツーリスト』である。

アン・タイラーにとって七作目の長編小説となる『夢見た旅』は、銀行の窓口に並んでいるごく普通の主婦のシャーロットが、銀行強盗に人質として連れ去られてしまうというところから始まる。やがて、シャーロットと強盗の若い男との奇妙な道行きの中で、なぜシャーロットが銀行の窓口に並んでいたかということが明らかになっていく。彼女は、そこで、家を出ていくための金を下ろそうとしていたのだ。つまり彼女は、望んでいた家出を、まったく予想外のかたちで一気に実現してしまうことになる。

一方、アン・タイラーにとって十作目の長編小説となる『アクシデンタル・ツーリスト』は、トラベル・ライターであるメイコンという男が主人公の物語である。メイコンが書いている「アクシデンタル・ツーリスト」という旅行案内書のシリーズは、普通のガイドブックとはいささか趣が異なっている。普通のガイドブックが、日常とは別の異空間で特別な体験をすることを期待している人たちに向けて書かれているとすれば、メイコンが書いているのは、旅先でいかに日常と変わらないように過ごせるかを望んでいる人のための情報を載せているガイドブックなのだ。そこには、まず、目的地に着くまでの心構えが書かれている。荷物は飛行機の中に持ち込めるくらい小さくすることが大事である。荷物を預けたり受け取ったりするのは時間の無駄だ。そのためにはスーツもグレイ系統の汚れの目立たないものを一着だけ着ていくようにする。そして、機内で快適に過ごすためには、自分のシートに坐《すわ》ったら、すぐに厚めの本を開く。そうすれば隣の席の人に話しかけられなくて済むだろう……。

そのメイコンは、そういうガイドブックを書いている人物にふさわしく、日常生活の全般にわたって、固有の「好み」と「システム」を持っている。車の運転法から歯の磨き方まで、食器の収納の仕方からシャワーを浴びる時間まで、決して崩してはならないものとして存在する。そこから、二人の女性との、時に悲劇的な、時に喜劇的な「好みとシステムの差異」による齟齬《そご》があらわになっていくことになるのだ。

この『アクシデンタル・ツーリスト』は、ウィリアム・ハートの主演で映画化され、日本では『偶然の旅行者』という邦題で公開された。確かに、アクシデンタルには「偶然の」という意味がないことはないが、ここではどちらかといえば「たまたま」というニュアンスの方が近いように思われる。アクシデンタル・ツーリストとは、偶然の旅行者ではなく、たまたま旅をする人ということになる。つまり、旅そのものが目的の人ではなく、旅が付属物でしかない人、たとえば、商用の出張や義務的な訪問のために余儀なく旅をする人のことを意味するのだ。

私には、この二つの小説は、どちらも面白かった。しかし、そうは言っても、私にとって重要だったのは、その二つの小説の内容ではなかった。私に「旅」について考える契機を与えてくれたのはそのタイトルだったのだ。

まず、夢見た旅、である。原題は違うのだが、そして内容とも微妙に違うのだが、夢見た旅、という言葉にはさまざまなものを喚起する力がある。

次に、アクシデンタル・ツーリスト、である。そこから、余儀ない旅人、あるいは、余儀ない旅、という言葉が導き出されてくる。

夢見た旅と余儀ない旅。

これは旅の持っている二つの性格を鮮やかに表象する言葉であるように思われるのだ。

人は余儀ない旅を続けながら、時に夢見た旅をする。もちろん、余儀ない旅にも「作る」という要素がないわけではない。『アクシデンタル・ツーリスト』のメイコンとそのガイドブックの読者のように、旅先で日常と変わらない生活を送ろうとするのでも、それはある意味で旅を作っていることになる。

しかし、旅を「作る」ということが重要な意味を持ってくるとすれば、それはやはり夢見た旅においてということになる。

たとえば、『アクシデンタル・ツーリスト』にミュリエルという若い女性が登場してくる。メイコンが幼い息子を失い、妻と別居することになってしまったあとで、犬が取り持つ縁で同棲《どうせい》することになる相手だ。しかし、そのミュリエルとも別れ、ふたたび妻と暮らしはじめたメイコンが、ある日、取材旅行のためにパリに向かう。すると、そのメイコンの眼の前に、以前からフランスに行きたがっていたミュリエルが姿を現す。メイコンの「余儀ない旅」に、ミュリエルの「夢見た旅」が絡《から》みついてくる。

その結果、メイコンの「余儀ない旅」が変容しはじめる……。

ミュリエルの「夢見た旅」の「夢」は、フランスに行ってみたいというシンプルなものである。だが、それを無防備なほどたくましい実行力によって具体化してしまうことで、自分にとって本当に大事なものを手に入れることになる。

「あなたの部屋のほうがわたしのところより広いわね」と彼女は言った。そして、彼の脇《わき》をすり抜け、窓辺まで行った。「でも、眺めはわたしの部屋のほうがいいわ。ねえ、メイコン、わたしたち、ほんとうにパリにいるのよ。バスの運転手は雨になるかもしれないって言ってたけど、わたしは言ったわ、そんなこと全然構わないって。雨であろうと晴れであろうと、パリはパリだものって」

田口俊樹訳

夢が生まれ、それを具体化し、実現する。そのようにして、旅を作っていく。しかし、もちろん、人によってその作り方は異なるだろう。だからこそ、似たような夢を抱いていたとしても、まったく異なる旅になっていくのだ。

同じアメリカの作家で、『怒りの葡萄《ぶどう》』の著者でもあるジョン・スタインベックに、『チャーリーとの旅』という作品がある。愛犬のチャーリーと共に、ドン・キホーテの愛馬と同じロシナンテ号と名づけた車を駆って、アメリカ中を旅した記録だ。

その中で、スタインベックもこう言っている。

（旅は）一つの実体である。そこには性格があり、気風があり、個性があり、独自性がある。旅は人間である。同じものは二つとない。

大前正臣訳

私は、二十六歳のとき、ユーラシアへの長い旅に出ることを思い立った。デリーからロンドンまで乗合バスを乗り継いで行く。それはやがて『深夜特急』という紀行文を生み出すことになるが、発端は極めてシンプルな「夢」でしかなかった。あるいは、それに似た夢を抱いた人は他にもいたかもしれない。しかし、その夢を具体化し、実現していく過程で、つまり「夢見た旅」を現実のものとしていく過程で、私は「私の旅」を作っていくことになったのだ。世に二つとない、「私の旅」を。

第一章　旅という病

その小さな旅がすべての始まりだったのかもしれない

スタインベックの『チャーリーとの旅』には、旅に関するさりげない省察が豊富にちりばめられているが、たとえば冒頭には次のような一節がある。

子供のころ、たまらなくどこかへ出かけたくなると、大人は私に「大きくなれば、そんなにむずむずしなくなるよ」といったものである。年齢からいって大人の仲間にはいると、中年になればおさまる、とのことだった。いざ中年になると、こんどは「もっと年をとれば、その病はなおる」といわれた。いま五八歳だから、これだけ年をとれば、だいじょうぶなはずである。ところが、病はいっこうになおらない。

確かに、旅は病のようなものかもしれない。それも永遠に癒《いや》されることのない病だ。旅への願望が病だとすると、私がそれに冒されたのはいつのことだったのだろう。

中学生のころだったろうか。あるいは、高校生のときだったろうか。

過去にさかのぼってゆっくり考えていくと、ひとつの光景に出会う。小さな商店が軒を連ね、その前を歩いている通行人に、ダミ声の男たちが呼び込みをしている……。

あれは、私が小学校の三年生か四年生のときだったと思う。日曜日の午前中から、仲のいい友達の家で遊んでいた。その友達は、当時としては珍しくいろいろと習い事をしていたから、日曜にならないとゆっくり遊べなかった。そのため、遊ぶとなると朝から夕方までずっと一緒にいることになった。昼になるといったん家に帰っていたが、私の家が少し離れたところに引っ越すと、その友達の家で昼食をご馳走《ちそう》になることが多くなった。

その日、いつものように昼食をご馳走になって、さあ、もっと遊ぼうと思っていると、友達のお母さんが申し訳なさそうに言った。

「ごめんなさいね、今日はこれからマツザカヤに行くことになっているの」

私はすぐに友達のお母さんの言いたいことを理解して言った。

「ぼく、帰りますから」

友達と別れて自分の家に帰る途中、お母さんの言った「マツザカヤ」という名前が妙に鮮やかに甦《よみがえ》ってきた。

それがデパートだろうということはおぼろげながら推測できた。「マツザカヤ」というのはいったいどんなデパートなのだろう。

家に帰ったものの、「マツザカヤ」が気になって仕方がない。それには、夕方まで遊ぶつもりの相手を失ってしまったという寂しさだけでなく、友達だけがその「マツザカヤ」というところで楽しい時間を過ごすのだという羨《うらや》ましさもあったかもしれない。

そのとき、不意に、自分もその「マツザカヤ」に行ってみようという考えが浮かんだ。「マツザカヤ」がどこにあるのか、どうやって行ったらいいかまったくわからなかったが、行かれないとは思えなかった。もし、自分が「マツザカヤ」に行き、そこでバッタリ友達と会ったら、とてもびっくりするだろう。そして、そこで、またいつものように午後の遊びの続きができるかもしれない……。

それにしても「マツザカヤ」というのはどこにあるのか。友達の家には商用の車はあったが自家用車はなかった。かりに自家用車があったとしても、そのころは車でデパートに行くというような家庭はほとんどなかったから、電車で行くはずだった。「マツザカヤ」は何という駅にあるのか。母に訊《き》けば、どうして、ということになるだろう。理由を説明すれば、そんなことをしてはいけません、と言われるに決まっている。幼い私にも、それがかなり非常識なことだという認識はあったのだ。しかし、バッタリ出会ったときの友達とその一家の驚いた様子が見たかった。

私は自分の持っているわずかな小遣いをズボンのポケットに入れると、大森駅に向かった。

駅に着き、乗車券を売っている窓口を前にして、誰に訊《たず》ねようか迷った。窓口の中にいる男の人はなんだかとても怖そうだ。改札口に立っている駅員さんはつまらなそうにハサミの空切りをしている。通行人に訊ねるのも少し恥ずかしい。そのとき、駅前の売店にいるやさしそうなおばさんの顔が眼に留まった。そうだ、あのおばさんに訊いてみよう。

「マツザカヤは何駅にあるんですか？」

訊ねると、おばさんは思いがけないことを言った。

「どっちのマツザカヤ？」

「どっちの？」

「マツザカヤは二つあるのよ」

私は困ってしまい、とっさに言った。

「二つとも教えてくれますか？」

「ひとつは御徒町《おかちまち》の駅のすぐそばにあるの。もうひとつは銀座にあるのよ。ここからだと、新橋駅から少し歩くことになるわね」

私は礼を言ってそこを離れ、乗車券を売っている窓口に戻った。窓口のすぐ上には山手線や京浜東北線の路線が描かれている黒い看板が掲げられている。それを見上げながら、幼い私は考えた。路線図によれば、御徒町より新橋のほうが近かったが、駅から少し離れているというのが気になった。友達の家族だったら、どっちに行くだろう。やっぱり、駅に近い方ではないだろうか。

私は御徒町駅までの切符を買うと、京浜東北線に乗り込んだ。

それは私が、自分で乗車券を買い、ひとりで電車に乗ってどこかに行こうとした、生まれて初めての経験だった。

乗り過ごさないように、一駅一駅、停車するたびに柱に記されている駅名を必死に読み、どうにか御徒町で降りることができた。

改札口を出ると、やはり売店のおばさんに訊ねた。

「マツザカヤはどこですか？」

「そこよ」

駅の構内を出て、おばさんが指差してくれた方向に歩いていくと、すぐに「松坂屋」と看板のある建物が見えてきた。

中に入ると、客でごったがえしていた。

当時は娯楽の場が少なかったということもあるだろうし、御徒町を含んだ上野界隈《かいわい》がいま以上に繁華街として機能していたということもあるだろう。とにかく、買い物客が狭い通路を押し合うようにして歩いている。たとえ友達の一家がこの松坂屋に来ているとしても、こんなところでバッタリ出くわすなどということがいかに非現実的なことかすぐに理解できた。

私は一階から屋上まで歩くと、友達と会うということをさっぱりと諦《あきら》めた。そして、松坂屋を出ると、その周辺を探検するような気持で歩きはじめた。すると、大きな通りを渡ったすぐのところに異様な空間があった。

そこもまた通行人であふれていたが、デパートとはまったく違った活気があった。表通りには、積み重ねた段ボールの箱を物差しのような棒で威勢よく叩《たた》きながらバナナのたたき売りをしている男がいたり、海産物を売っている店の前では男たちが声を嗄《か》らしながら競うように呼び込みをしていたり、また、路地の奥をのぞき込むと、あまり新しいとは思えない外国製のバッグやベルトや服を売っている店がずらっと並んでいたりした。

いま思えば、それこそアメヤ横丁だったのだが、もちろん幼い私は何がなんだかまったくわからなかった。しかし、自分の生活圏にはないものだということはよくわかった。私は昂揚《こうよう》した気分で歩いては立ち止まり、眺めてはまた歩いた。

途中、小倉のアイスキャンデーをひとつ買って食べながら、路地の一本一本までくまなく見てまわった。

その日、私が家に帰ったのはだいぶ暗くなってからだったが、親が心配するほど遅くはならなかった。それもあって、私の初めての小さな旅については、親に不審がられもせず、だから何も訊ねられることなく自分の胸のうちにしまっておくことができた。

その経験がどのように私に影響を及ぼしたかはわからない。

ただ、いま思うと、私の旅の大事な構成要素のひとつである街歩きの楽しみを、もうすでにこの頃から知っていたということが不思議でならないのだ。

いずれにしても、この小さな旅が私の生まれて初めてのひとり旅であり、すべての始まりだったような気がする。そして、たぶん、このときにあの「旅という病」に冒されることになったのだ。

最初のひとり旅はたった一日で逃げ帰ることになった

中学生になった私は三つの大きな旅をした。

ひとつは中学二年の夏休みにクラスメートの三人と千葉の御宿《おんじゅく》に行った旅だ。仲間のひとりの家が所有する別荘で自炊しながら中学生の四人だけで生活した。それは別荘というより海辺の小屋と言った方がいいような代物《しろもの》だったが、地元の人たちと親しくなったということを含めて、私には刺激的な体験だった。

もうひとつは、同じメンバーで中学三年になる前の春休みに箱根から湯河原まで山を下るという旅をしたことだ。誰の発案だったかは覚えていないが、湯河原には仲間のひとりの祖父母が経営する老舗《しにせ》の温泉旅館があり、そこで一泊させてもらうというのが最終的な目的だった。ところが、途中で思いがけず雪に降られ、危うく道に迷いそうになった。なんとか湯河原まで降りてくることができたが、軽装だった私たちは寒さに震え上がった。目的の旅館に着くとすぐに温泉に入らせてもらうことになったが、冷えきった体に熱い湯が痛いように突き刺さってきたことをよく覚えている。当時の私にとっては大冒険と言えるような旅だった。

そしてもうひとつが、中学三年の夏休みにひとりで行った大島への旅だった。これは、旅としてはもっとも惨《みじ》めな結果に終わることになるが、私にとっては御宿での日々や湯河原への旅以上に印象深いものとなった。たぶん、その旅こそが本当の意味での初めてのひとり旅だったからだろう。

私は学校のクラブ活動では野球と陸上競技を掛け持ちでやっていたが、夏の大会がすべて終わり、三年生は「引退」することになって、よしこれからひとりで旅をしようと思った。本来なら、これから受験勉強に本腰を入れるぞと思うところなのだろうが、私はあまり高校受験に興味が持てなかったのだ。

なぜひとり旅だったのか。それについて語るためには、順序としてまず中学二年のときに父親が買ってきてくれた小田実《おだまこと》の『何でも見てやろう』について話さなくてはならない。それがすべての始まりだったような気がするからだ。しかし、どうして父親が中学生の私にそんな本を買ってくる気になったのかはいまでもわからない。訊いてみようと思っているうちに、父が死んでしまってその機会を永遠に失ってしまった。

父がせっかく買ってきてくれたにもかかわらず、私は『何でも見てやろう』をすぐには読まなかった。中学時代から小説を読むことは好きだったが、旅行記などというものにはまったく興味がなかった。そのまま机の上に置いておくと、父が「もし読まないんだったら先に読ませてもらうよ」と言って持っていってしまった。しばらくして、読み終わったらしい父がまた本を持ってきてくれたが、そのときこんなことをつぶやいた。

「こんなだったらな……」

それは、自分が小田実みたいだったらいいなと言ったのか、あるいは息子である私が小田実みたいだったらいいなと言ったのか、これもまた確かめることができなかったのでわからない。しかし、私は父のそんな言葉を聞いてもまだ読もうとしなかった。買ってもらってから二カ月くらいたったころだろうか、読む本がなくて、どこか「仕方なく」という感じで読みはじめた。読んでみて、これがとんでもなく面白い本だったので驚いた、とでもいうことになればよかったのだが、私にはあまり面白いとは思えなかった。

その『何でも見てやろう』の帯には「世界一日一ドル旅行」という惹句《じゃっく》が載ってい

た。ところが、その本には一日一ドルで旅行する具体的な方法がまったく書かれていなかった。いわゆる旅の「ハウ・ツー」の本だと思って読んだら、アメリカの文化だとか世界の豊かさと貧しさだとか理屈っぽいことが書いてあるので、なんだかなあと思ってしまったのだ。

小田実はまずフルブライト留学生としてアメリカで一年ほど暮らす。勉強するというより、まさに暮らしたのだ。もちろん、そうすることの方がはるかに本当の意味での勉強になっただろうことは間違いない。

アメリカでの滞在期間が終わって日本に帰るとき、小田実は太平洋を渡って直接帰ってくるのではなく、反対に大西洋を渡って、ヨーロッパ経由、アジア経由で帰ってこようとした。金はなかったが、航空券だけは正規のものを持っていたおかげで、好きなところで降りることができたのだ。

紀行としての『何でも見てやろう』は、その一年間のアメリカにおける「滞在記」と、帰りの貧乏旅行の「旅行記」によって成り立っている。もし、帯の惹句の通りに「一日一ドルで世界を旅行する方法」について書かれたものだとすれば、アメリカではどういうアパートでどのように生活し、ヨーロッパやアジアではどういう宿に泊まってどんなものを食べていたか、などということが書かれてあっていいはずだが、具体的な「方法」としてはほとんど書かれていなかった。だから、読み終えたあとで、少年の私はあまりたいしたことのない本だ、というくらいの感想しか持てなかったのだ。

しかし、私が生まれて初めてのひとり旅をするのは、その直後のことだった。

私が向かったのは伊豆の大島だった。いまとなっては、なぜそのようなアイデアが生まれたのかよくわからない。もしかしたら、それには、川端康成の『伊豆の踊子』を読んでいたことが影響していたのかもしれない。さすがに大島に行けばかわいらしい「踊り子」に遭遇できるなどと思ったはずはないが、何かロマンティックなことが起こるかもしれないと思った可能性はある。

そうした幼いロマンティシズムを措《お》くとしても、実際的な問題として大島へはとても安く行けたということもあったように思う。東京の竹芝桟橋から出ている船のチケットは最下級ならとてつもなく安かったし、夜の便だったため一泊分の宿泊費が浮くということもあった。竹芝桟橋を夜の十時くらいに出発すると、大島の元町港には朝の五時か六時ころ着くことになっていた。

当時はまだバックパックなどという気の利《き》いたものはなかったから、不細工なリュックサックに毛布を一枚入れ、どこかで野宿しながら何日か過ごそうなどという甘い考えで夜の船に乗った。

朝、港に着くと、私はなにはともあれ三原山に登ろうと歩きはじめた。道標に従い、ただやみくもに頂上を目指したのだ。

その中腹に差しかかると、若い男性がわずかに生えている灌木《かんぼく》の横でテントを張ろうとしていた。私が軽く挨拶《あいさつ》をして通り過ぎようとすると、明るい声で話しかけてくれた。そして、しばらく話したあとで、親切にもこう言ってくれたのだ。

「君はひとりなの？　ぼくはこのへんにテントを張ってしばらくいるつもりだから、もし泊まるところが決まっていなかったら泊まってもいいよ」

私はその幸運に感謝して、彼がテントを張っている横にリュックサックを置かせてもらい、さらに山頂を目指して登っていった。しかし、登りながらいろいろ考えてみると、なんとなく妙な気がする。テントを張ろうとしているのも、キャンプ場のようなところではなく、誰もいないようなところだった。しかも、見も知らない私を泊めてくれるというのも何か変だ。この「変だ」という感じは、もし現代の少年のようにホモセクシュアルに関する知識があったら、そちらの方向を疑ったかもしれない。だが、当時の私にはそんな知識はまるでなかったから、変だといっても、かなり荒唐無《こうとうむ》稽《けい》な想像をするばかりだった。あの人は、もしかしたら、犯罪をおかして東京から逃げてきた、たとえば横領犯のような人ではないかと考えた。殺人犯とか銀行強盗とかをイメージしなかったのは、その人の印象が知的だったからだと思う。

とにかく、頂上まで登って、へとへとになって降りてきた。登っているあいだはそれほどでもなかったが、若い男性のテントに近づくにつれて不安が増し、その手前で恐怖が頂点にまで達してしまった。私はテントの前で火を熾《おこ》している若い男性を見つけると、早口で「やっぱり知り合いの家に泊めてもらいますから」と言い、リュックサックをピックアップして急いでそこを離れてしまった。若い男性には、「ついさっき泊まるところがないと言っていたのに、なんだこいつは」と思われただろうが、そんなことを心配するより恐怖心の方が勝っていた。私は一気に港まで下ってくると、朝着いたばかりの船に乗ってそのまま東京に戻ってしまった。大島にはただの一日も泊まらないで、いわば逃げ帰ってしまったのだ。

その日の夜遅く家に帰ると、姉たちに「あら、一週間くらいいるんじゃなかったの」と笑われ、とても恥ずかしい思いをした。「どうして帰ってきたの」と理由を訊《き》かれても、うまく説明できなくて、「うん、なんかつまんなそうだったから」とか答えたような気がする。しかし、姉たちにはきっと逃げ帰ってきたということがわかっていたのだろうと思う。

こうして私の生まれて初めてのひとり旅はさんざんなことになってしまった。しかし、それで懲《こ》りたかというとそんなことはなかった。それから一年半後、高校一年の終わりの春休みに、こんどは東北一周の大旅行を計画した。旅の経費は近所の子たちに家庭教師まがいのことをして貯《た》めた金で賄《まかな》ったが、それでも総額で五千円あったかどうかというところではないかと思う。

当時は国鉄と言っていたJRに「均一周遊券」というチケットがあった。北海道とか、東北とか、九州とか、ある一定の域内なら何回乗り降りしてもいいという期間限定のパスのようなチケットである。特急以外なら急行に何度乗ってもかまわない。東京から東北の均一周遊券を買うと、十二日間前後通用して、学割で二千五、六百円くらいだった。磐越《ばんえつ》東線と西線より北に入ると、あとはもう乗り降り自由なのだ。当時はいまよりはるかに夜行の急行や準急の列車が走っていたから、それはまさに貧乏旅行をする若者のためのチケットと言えるものだった。宿泊代を節約しようとすれば長距離の夜行列車に乗っていればいいのだ。

私が東北一周をしようと思ったのは、特に東北に行きたかったからではなかった。

東北本線や奥羽本線は路線が長いうえ夜行列車がたくさん走っている。つまり、宿泊代を浮かすにはもってこいだったのだ。私の財政事情では、均一周遊券を買うと、あとは現金で二千円足らずしか残らなかったので、夜行列車をねぐらとするしか選択の余地はなかった。実際、今日は奥羽本線の秋田行きの急行の中で一泊し、翌日は青森から東北本線の東京行きの準急の中で眠って福島で降り、次の日は東北本線の青森行きの急行で戻って盛岡駅のベンチで一泊するなどという具合に、宿泊代にほとんど金を使わなかった。

そのようにして旅行をしているうちに、有効期間の十二日間は瞬《また》く間に過ぎてしまった。大島のときは一日で逃げ帰ってしまったのに、この東北一周旅行はチケットの通用期間ギリギリまであちこちをほっつき歩いていた。

何が違っていたのだろう。十四歳と十六歳という年齢の違いが大きかったのか。たった一日とはいえひとり旅をいちど経験していたことが大きかったのか。

いずれにしても、この東北一周旅行はその後の私にとってかなり大きな意味を持つことになった。そのときはわからなかったが、このことで私は自分に大きな自信を得たのだと思う。自分で稼いだ金を使い、自分で計画し、自分だけで旅をやり遂げることができた。しかも、この旅では、実に多くの人からさまざまなかたちで親切を受けた。奥羽本線の夜汽車の中で、男鹿《おが》半島の寒風山の山道で、仙台の定食屋で……。

北上駅の構内ではこんなこともあった。その夜、駅で一泊するつもりだった私は、いままベンチの上に横になり、持参した毛布を掛けて眠っていた。別のベンチでは、いまでいうホームレス風の男が横になっていた。最初のうちは、不安で眠れなかったが、やがて疲れには打ち勝てず寝入っていたらしい。深夜、寒くて眼が覚めた。そのとき、別のベンチで寝ているはずの男がこちらに近づいてくる気配がした。私は恐ろしくて寝たふりをしていた。男は私のベンチのすぐそばまでやってくると、手前で立ち止まった。私の胸はまさに「早鐘を打つように」鳴っていた。男はしゃがみこむと、床から何かを拾い、私の上に掛けてくれた。それは私の毛布だった。いつの間にか滑り落ちていた毛布を拾って掛け直してくれたのだ。

旅先では、親切を受けただけでなく、それ以外にもいろいろなことがあった。田沢湖では土産にするため浜辺のきれいな砂を採集したり、青森の黒石温泉や福島の岳《だけ》温泉では混浴の風呂に入ることになってしまったり、津軽半島ではまったく理解できない津軽弁のおばあさんたちと「会話」しながら同じ汽車に乗って半島の先端まで行ったりした。そして、十二日間をフルに動きまわり、疲労困憊《こんぱい》しながらも満足して東京に帰ってきた。

考えてみれば、大島に行ったのが十四歳のとき、その東北一周の旅が十六歳のときだった。感心するのは両親がよく黙って出してくれたということだ。きっと心配だっただろうが、「行くな」などと言うことはもちろん、あれこれ注意することもなく、ただ「気をつけて」というだけで送り出してくれた。私自身がその両親の年齢になり、実際に子供を持ってみると、それはかなり勇気を必要としただろうということがわかる。

東北から帰った直後は気がつかなかったが、それからしばらくしてもういちど『何でも見てやろう』を読み返して驚いた。私がやった東北一周の旅行というのは、『何でも見てやろう』で小田実が世界を相手にしてやっていたひとり旅とほとんど同じだったということに気がついたのだ。たとえば、チケットひとつとっても、小田実の乗り降り自由な世界一周の航空券が国鉄の均一周遊券になっただけであり、私が汽車の中や駅のベンチで寝ていたように小田実も飛行機の中や路上で寝ていた。そして、それ以上に似ていたのは、いろいろな土地でいろいろな人の親切を受けているということだった。自分が日本でしていたことを小田実は世界でしていたのだ。

——なんて凄《すご》いんだろう……。

　そして、私はしばらくしてそれよりもっと大事なことに気がつくことになる。『何でも見てやろう』には「一日一ドル」で旅行する方法は具体的に何も書かれていなかったけれど、小田実はぼくの気がつかないうちに「旅をしたい！」という情熱を溢《あふ》れるほど注ぎ込んでくれていたんだ、と。

新しい旅の出発点は大阪の道頓堀

私は十六歳のとき東北一周の旅をしてからというもの、高校から大学にかけて長い休みになると日本中をひとりで歩いた。そのとき利用したのは、北海道、南近畿、四国、山陰、九州などの均一周遊券だった。そして気がつくと、大学を卒業するまでには、駆け足ではあったが日本全国を旅していた。

しかし、大学を卒業して一年後に大阪に行ったとき、自分はいまふたたび「初めての旅」をしているのだなという思いを抱いた。もちろん、大阪は初めてではなかった。四国や九州へ行くたびに必ず通過しなくてはならなかったし、関西を廻ったときは何日か滞在したこともある。だが、そのとき、自分はこれまで経験してきた旅とは違う、まったく新しい旅をしているのかもしれないという感じがしたのだ。

とはいえ、そのときどのような交通手段で大阪まで行ったのかは覚えていない。飛行機だったのか新幹線だったのか。それだけでなく、泊まったのがどのようなホテルだったかの記憶もない。ただひとつはっきりと覚えているのは、大阪に来た二日目の夜に食事をした場所である。

ある人に連れられ、道頓堀に行った。そして、その一角に建つ古い料亭風の店に入った。それはすきやきで有名な店らしかった。

すきやき屋には、少年時代、父に連れられ浅草の老舗《しにせ》に行ったことはあったが、座敷はいわゆる「入れ込み」で、衝立《ついたて》を挟んで隣の人の声が聞こえてくるというような造りの店だった。

しかし、道頓堀のその店は違っていた。立派な門をくぐると、靴を脱いで上がり、着物姿の仲居さんに案内されて、黒光りするような廊下を歩いていく。座敷に通されると、付ききりで世話をしてくれる仲居さんが、鉄鍋《てつなべ》で大きく柔らかそうな牛肉を一枚ずつ焼いてくれるのだ。野菜や豆腐を入れるのはそのあとからだった。他にも客は入っているようだったが、声が聞こえてくるようなことはなく、トイレに行くときに両側の座敷から声が洩《も》れてくるていどだった。

その時、私は大阪で行われるスポーツイベントを取材するため東京を離れてきていた。これまで、取材用のパスをもらってスポーツイベントを取材するなどという経験がなかったのはもちろんのこと、泊まりがけで取材をするということすらなかった。

その大阪行は私にとってすべてが初めてづくしだったのだ。

仲居さんが取り分けてくれるその甘く柔らかい肉を食べながら、もしかしたら自分はこれから不思議な世界に入っていくのかもしれないな、と思っていた。この店の古く暗い廊下を歩きつづけていくと、その向こうには胸躍る思いをさせてくれる光り輝くような世界があるのかもしれないな、と。

私は、かつて、スポーツに関するノンフィクションをまとめた初めての作品集『敗れざる者たち』の「あとがき」に、次のように書いたことがある。

《……そして、「イシノヒカル、おまえは走った！」を書き終えた時、自分に可能なひとつの道筋が見えてきたのだった》

確かにその通りだった。一九七二年の夏、「第三十九回日本ダービー」に材を取った「イシノヒカル、おまえは走った！」を書き終えたとき、スポーツの世界、あるいは勝負の世界というものを書くことが、このようにスリリングなものなのかという驚きに似た思いを味わったことは間違いない。

しかし、その一文の中に、「イシノヒカル、おまえは走った！」が私にとってスポーツの世界を描いた最初の作品だというニュアンスが含まれてしまっているとすれば、正確ではない。それより半年も前に、私は自分がスポーツについて書いているのだという意識を抱くことすらなく、一編のスポーツ・ノンフィクションを書いていたからだ。

それは、TBSが発行していた放送専門誌「調査情報」の、一九七二年一月号に掲載された「儀式」である。

その仕事の依頼を受けたのは一九七一年の十月だった。本土復帰前の沖縄にしばらく滞在して東京に帰ってくると、待ちかねたように「調査情報」の編集部から連絡があった。

私と「調査情報」編集部との付き合いは、その二カ月前に始まったばかりだった。大学を卒業して一年、「防人《さきもり》のブルース」と「この寂しき求道者の群れ」というわずか二編のルポルタージュを書いただけにすぎない新米のライターに、ある日、電話が掛かってきた。「この寂しき求道者の群れ」を読んでくれた「調査情報」の編集者が、会いたいといってきたのだ。そこで、当時、TBSの古い社屋の奥まったところにあった調査部の部屋に出向くと、編集部の三人が待ち構えるようにして出迎えてくれ、応接間というより作業場のように乱雑な別室に通された。

三人とは編集長の今井明夫、副編集長の宮川史朗、編集者の太田欣三の三氏である。これはやがて知ることになるのだが、「調査情報」はこの三人が部員のすべてであり、あとはアシスタントの女性がひとりいるだけの小さな所帯の編集部だった。「調査情報」はTBSの調査部という部局の中にあり、限られた書店での販売はしているものの、実質的には一種のPR誌といってよかった。売れ行きについてはほとんど考えなくてもよいため、放送局で出す雑誌としての体裁をほどほどにとっていさえすれば編集部の好みで自由に作ることが許されていた。

そのときそこで彼らから提案されたのは、「日本の歌謡曲をめぐる状況について書いてみないか」ということだった。その頃の私にはあまり興味のないテーマだった。本来なら、即座に断っていただろう。ライターとして駆け出しではあったが、やりたくないことはやらないという方針は、すでに強固なものになりつつあったからだ。

しかし、「調査情報」の編集部の電話を受ける直前に、評論家の青地《あおち》晨《しん》氏から電話が掛かってきていた。

青地氏とは私の大学時代のゼミナールの教官だった長洲一二《かずじ》教授との縁でお目にかかることができていた。そして、私の二作目のルポルタージュである「この寂しき求道者の群れ」は、青地氏が紹介してくれた「展望」に掲載されていたのだ。のちに聞き知ったところによれば、そのころ「調査情報」では「ドキュメント・シリーズ」という連載を開始していた。そこでのテーマは必ずしも放送と関わりがあるものでなくてもいいが、取材を前提とした新鮮なドキュメントを求めていた。「この寂しき求道者の群れ」を読んだ「調査情報」の編集者たちは、もしかしたらこれが自分たちの探していた「ドキュメント・シリーズ」のための新しい書き手かもしれないと思ったのだという。「展望」の編集部に問い合わせると、私が青地氏の紹介を受けていることが告げられ、青地氏にじかに連絡先を訊《たず》ねることになった。青地氏と「調査情報」とは以前から仕事上の付き合いがあったのだ。「調査情報」の編集部からの電話で、彼らが私に原稿の依頼をしようとしていることを知った青地氏は、ひとつだけ私に忠告をしておこうと思い、先にわざわざ電話を掛けてくれた。

その電話で、青地氏はおよそ次のようなことを言った。

君は「調査情報」といってもたぶん知らないだろう。しかし、これは放送局が出している雑誌としては極めてすぐれたものだ。読者もマスコミの関係者が多くレベルが高い。それだけでなく、編集者たちが鋭敏な感性を持っている。その彼らが君に仕事を依頼しようと考えている。君にとっても、いきなりマス・マガジンで仕事をするよりこういう小さいけれど読者のレベルの高い雑誌で仕事をすることは悪いことではない。あるいはテーマが気に入らないかもしれないが、最初の依頼は断らない方がいいと思う……。

青地氏が、私に対してそんな忠告をしてやろうと思ってくれたのには理由があった。私が大学を卒業して、一日で会社を辞めてしまったことを知ったゼミナール教官の長洲先生は、それなら何か書いてみないかと勧めてくれた。私がたいして深い考えもなくルポルタージュなら書けそうだというと、二つの雑誌とひとりの人を紹介してくれた。いや、直接紹介してくれたというのではなく、私の知らないうちに話をしておいてくれたのだ。あとでわかったことだが、その二つの雑誌とは、当時、長洲先生が論文の選考委員をしていた「現代の眼」と「潮」であり、ひとりの人とは「現代の眼」で同じ選考委員をつとめていた青地晨氏だった。二つの雑誌の編集者には、ルポルタージュを書きたがっている卒業生がいるが会ってくれないかと話をし、大宅壮一グループの番頭格だった青地氏にも同じような話をしてくれていたのだ。

長洲先生の心づもりでは、適当な時間を置いて私に連絡をし、自分からその編集部や青地氏のところに電話をしてみるように言うつもりだったらしい。ところが、「潮」の編集長の志村栄一氏が、直接、私の家に電話を掛けてくれ、会いましょうと言ってくれたのだ。そして、最初は一般的な話だけだったが、二度目に会ったときには仕事の依頼をしてくれた。

私が最初のルポルタージュである「防人のブルース」を書いて「潮」誌上に発表すると、それを読んでくれた青地氏から訪ねて来るようにという連絡があった。長洲先生の依頼を思い出してくれたらしいのだ。

練馬にある青地氏のお宅を訪ねると、決して饒舌《じょうぜつ》ではないが、やさしい応対をしてくれ、次に何か書きたいものはあるかと訊《き》いてくれた。私は、その頃、芝居の世界に片足を突っ込み掛けていた。そこで、いわゆるアンダーグラウンド演劇についてなら書けそうに思うと答えた。すると、それは面白いかもしれないと言い、筑摩書房の「展望」の編集者である森本政彦氏を紹介してくれた。

鈍感な私はそのとき青地氏にどのような印象を持たれたかなどということを考えもしなかった。だが、青地氏は若い私にある種の危惧《きぐ》の念を抱いたらしい。

青地氏は、のちに私の『人の砂漠』に対する長い書評の中でこんなことを書いている。

ルポルタージュは、頭の冴《さ》えやキラキラした才能だけではやれない。取材相手の心をひらかせる何かを持っていなければならない。

その何かを簡単に定義することはできないが、沢木がそれをもっていることは明らかであった。

もう一つの資質は、行動力である。文献を読むだけではルポルタージュは書けない。思いついたらすぐに飛びだし、自分の体でたしかめる行動力が要求される。つまり頭だけではなく、体でも考えるのだ。

ところが、頭で考えるタイプの人間は、たいてい体で考えることが不得手なのだ。人間は、そんなにウマく造られているものではない。

沢木耕太郎にあって、私は考えた。二十二歳という年齢で、これだけのものが書け、これだけ条件がそろっている人間に、はじめて出会ったということだ。一つ心配なことは、彼が自信にみちているように見えたことだ。その自信は、不当なものだとは思わないが、自信過剰のため破綻《はたん》しないかという心配であった。

才能は天賦《てんぷ》のものだが、これほどこわれやすく、挫折《ざせつ》しやすいものはない。自分の才能に甘えるか、きびしく鍛えあげるか、これが分れ目である。その才能がブリリアントなものだけに、自信過剰になることを私はおそれた。そのくらいなら、むしろ才能はほどほどのほうがよいのである。

人生の辛酸をなめたことのある青地氏の眼に、私は傲慢《ごうまん》さとすれすれの過剰な自信を抱いていると映った。そこで、青地氏は「展望」の編集部と相談して、私が書き上げた「この寂しき求道者の群れ」というアンダーグラウンド演劇に関するルポルタージュをすぐに掲載しないようにしたらしい。自分の作品が書いたそばから雑誌に掲載されるという経験をすることで、過剰な自信を持つことを恐れたのだと、のちに青地氏の口から直接うかがったことがある。

原稿を渡した私は、すぐにも雑誌に載るものだと思い、友人や取材対象者にもそう伝えてあった。ところが、私のルポルタージュは、翌月も、翌々月にも載らなかった。私はがっかりし、新聞に「展望」の広告が出るたびに失望するということを繰り返していた。

原稿を渡して四カ月後、なかば諦《あきら》めかかった頃に、不意に雑誌に載った。それは一九七一年の九月号だった。ということは、雑誌が出たのは八月の初旬ということになる。「調査情報」の編集部に行ったのは「お盆前」という印象があるから、出るとすぐに読んでくれ、すぐに「展望」の編集部に連絡を取り、すぐに青地氏に電話してくれたということになる。

そのことがまた青地氏には心配の種だったのかもしれない。私を「自信過剰」と思っていた青地氏は、読んですぐに反応してくれたことのありがたさもわからず、そんな雑誌は知らないからと仕事を断ってしまうのではないかと懸念《けねん》した。そこで、私に簡単に断らないようにと忠告の電話を掛けてきてくれたのだ。

もし、あの時、青地氏からの電話を受けていなかったら、と考えてみる。おそらくは仕事の依頼を断り、「調査情報」との縁もそこで切れていただろう。もしそうだったら、以後、三年半に及ぶ「調査情報」編集部との濃密な付き合いもなかっただろうし、当然のことながら、ノンフィクションのライターとしては現在とまったく異なる道を歩むことになっただろう。いや、その三年半の幸福な修行時代というものを味わうことのなかった私は、もしかしたらライターとしての道を歩むことをやめていたかもしれない。

いずれにしても、青地氏の言葉が頭に残っていた私は、歌謡曲についてのルポルタージュを書く仕事を引き受けると、一カ月ほどで「いま、歌はあるか」という五十枚の原稿を書き上げ、友人のいる沖縄の石垣島に遊びに行ったのだ。

沖縄から帰り、「調査情報」編集部の連絡を受けた私は、また調査部の部屋に足を運んだ。そこで彼らは、今度は大阪で行われる「日米対抗ゴルフ」について書いてみないかと提案してきた。それも、最近人気の出てきた「ジャンボ尾崎」を中心にして書いてみないかというのだ。

私はゴルフをやったこともなければ見たこともなかった。尾崎に対してもとりわけ強い関心があったわけでもない。何を、どう書けばいいのかわからなかった。気が進まないということでいえば、「ゴルフ」も「歌謡曲」と同じだった。だが、一度仕事をさせてもらったことで、「調査情報」の編集部に対する信頼感が生まれるようになっていた。私はゴルフに関心はない。ジャンボ尾崎についても同じだ。しかし、彼らが面白いというのだから「何か」ではあるのだろう。

その頃、私は長洲先生が編者になっている本に、若年労働者についてのルポルタージュを書かせてもらうことになっていた。彼らを単なる資源としか扱おうとしない社会の中で、中卒、高卒の若年労働者はどのように考え、どのように生きようとしているのかというのが主題だった。私はその取材を進めていく中で、彼ら若年労働者たちの転職の多さということに着目するようになっていた。転職こそが、そうした社会への強烈なしっぺ返しとなっていたからだ。そうした観点から眺めてみると、尾崎もまたひとりの高卒の若年労働者であり、しかも野球界からゴルフ界への転職者であった。「転職」という視点が見つかったとき、あるいは書けるかもしれないと思った。

——まあ、やってみるか。

その程度の軽い気持で引き受けると、私はゴルフについての本を集め、ゴルフ好きから話を聞き、ゴルフ雑誌を買って読みはじめたのだ。

しかし、それから大阪に行き、実際に「日米対抗ゴルフ」の取材を始めると、「転職」の視点などどうでもよくなった。

試合そのものが面白かったこともある。一日目、二日目と見ていくうちに、ひとつのショット、ひとつのパットに大きなものが懸かるために生じるドラマの構造が理解できてくるようになった。

だが、それ以上に、尾崎という人物の辿《たど》った人生の軌跡を追うことに夢中になった。彼と言葉を交わすことができたのはほんのわずかの時間だったが、何かが了解できたという実感があった。そして、彼の故郷の徳島の宍喰《ししくい》へ行き、家族や知人に会い、東京に戻ってゴルフ関係者に会い、千葉の住まいに行って夫人に会ったりするうちに、私の内部で少しずつ同世代人としての尾崎の像が結ばれはじめたのだ。

大阪で料亭風のすきやき屋に連れていってくれたのは、「調査情報」編集長の今井氏だった。「日米対抗ゴルフ」の二日目、不意に大阪にやって来ると、取材が終わったあとで私を食事に誘ってくれた。取材用のパスの貰《もら》い方もろくに知らない私を気遣ってのことだったかもしれない。あるいは、単に自分が「日米対抗ゴルフ」を見たかったただけなのかもしれない。だが、いずれにしても、その夜、今井氏に連れていってもらった道頓堀の料亭風のすきやき屋は、私にとっていつまでも忘れられない店になった。

すべての取材が終わり、どのような書き方にするかで長いあいだ迷っていたことを記憶している。「日米対抗ゴルフ」と「尾崎の人生」を絡《から》ませながら描きたいというイメージは最初からあったが、そこから試合の経過と尾崎の人生の軌跡を交互に描いていくという方法が生まれるまでにはかなりの時間を必要とした。いま考えてみれば、極めて簡単な方法だったように思える。最終日の展開をいくつかの断片にし、それに導かれるようにして尾崎の人生の転機を重ね合わせていくだけなのだ。しかし、手本となる教科書を持たない私が、独力でその方法に辿りつくまでには、何日も無為の時を過ごさなければならなかった。「調査情報」の編集部に泊まり込み、何日徹夜したことだろう。その徹夜に、どのくらい太田氏を付き合わせたことだろう。だが、「儀式」という六十数枚の原稿を書き終えたとき、何かが書けたような気がした。「防人のブルース」も「この寂しき求道者の群れ」も「いま、歌はあるか」も、どれも既存の書き手によるルポルタージュと本質的に変わるところはないような気がしていたが、この「儀式」には少しだけ異なる気配が漂っているのが感じられた。少なくとも私は、このようなタイプのルポルタージュを読んだことがなかった。

私はこの「儀式」を書き上げることで二つのものを手に入れることになった。ひとつはスタイルである。以後、このスタイルでいくつもの作品を仕上げることになる。スポーツばかりでなく、たとえば、東京都知事選挙のようなものまで、開票速報とそこに至る選挙戦のプロセスを交互に描いていくというような書き方をしたことがあるほどだ。

手に入れたのはスタイルばかりではなかった。そのときは気がつかなかったが、この「儀式」を書くことで、私は自分が書くことのできるジャンルを手に入れてもいた。ひとつはスポーツの世界、勝負の世界を描くということであり、もうひとつは同世代のヒーローを描くということである。前者は、次に「イシノヒカル、おまえは走った！」を描くことで確かなものになり、後者は、「若き実力者たち」という人物論のシリーズを連載することでさらに確たるものになった。

だが、いま思えば、私が「儀式」によって手に入れたのは、スタイルやジャンルだけではなかった。何も知らないままジャーナリズムの庭先に迷い込んだヒヨッ子は、「調査情報」というホームグラウンド、巣を手に入れたのだ。

編集長の今井氏は、やがて鈴木明という名の書き手として登場するや、『南京大虐殺《ナンキンだいぎゃくさつ》』のまぼろし』で大宅壮一ノンフィクション賞を受賞することになる。その鈴木明の筆名で書かれてはいるが、当時を懐《なつ》かしむ「調査情報」編集長今井明夫としての思いのこもった文章が私の手元に残っている。

それから彼は、殆《ほと》んど毎日のように、赤坂の「調査情報」の部屋に現れるようになった。編集部の名前の書いてある黒板に、やがて「沢木」という文字が書きこまれるようになった。彼はその日に取材したことを、その日のうちに克明にメモをとる。そして、一度「作品」として書きあげる。

だが実は、それからが彼の「仕事」であった。自分の書いた作品を、編集部の別室で、穴のあくほど眺め廻す。それは、一度自分の書きあげた「原稿」に対して、自ら復讐《ふくしゅう》しているようだった。不精者の僕はとてもつき合い切れなかったが、老練で、他人の作品を的確に把握することのできるKは、ねばり強く、いつも耕太郎とつき合った。編集部の別室は、締切近くになると、いや締切日が過ぎても、夜中でも、夜明けでも、電気がついていた。

「発行日は大丈夫かね」と、僕はKにきいた。「わからない。しかし、耕太郎は、それだけの値打のある男だよ」と、Kはいった。

このKとは太田欣三氏のことだが、もしかしたら「調査情報」の周辺にいる人たちの眼には、私と太田氏とがボクサーとトレーナーのような関係にあると見えていたかもしれない。実際、ボクサーがトレーナーからシャープでストレートなジャブを打てと言われつづけるように、私も太田氏にセンテンスを短くしろと言われつづけた。過剰な修飾語を排せ。修飾したければ修飾語でなく前後のセンテンスで説明しろ。

太田氏は私が徹夜で原稿を書くのに付き合ってくれただけでなく、書くのが遅れれば平気で雑誌の発行日を延ばしてくれた。五十枚の予定の原稿が二百枚になっても笑って許してくれた。面白いんだからいいと。深夜、一枚、一枚と書き上がるのを待って、読んでくれた。私も、太田氏のために、今井氏と宮川氏を含めた三人のためだけに書いていた。彼らを面白がらせたい、彼らを驚かせたい、彼らを唸《うな》らせたい、と。

編集長の今井氏は編成部門からやってきたテレビ屋であり、副編集長の宮川氏はラジオドラマの専門家であり、太田氏は日本読書新聞から「調査情報」に来て、編集の実務を引き受けていた根っからの編集者だった。この三人は、出自はそれぞれ違っていたが、揃《そろ》いも揃って博識で好奇心が旺盛だった。およそ彼らの知らないこと、興味のないことはないのではないかと思えるほどだった。編集部では、夕方になると決まって酒宴が始まった。そこでの話は森羅万象に及んでいた。文学、政治、スポーツ、ギャンブルから女優のゴシップに至るまで、そこで話題にならないことはなかった。私には彼らの話が面白かった。聞いても聞いても飽きなかった。こんなにも多様なことに関心がある人たちを知らなかった。恐らく、私は幼児がオトギバナシを聞いているかのように素直に耳を傾けていたことだろう。

一方、私はさまざまなところに赴いては粘り強く取材し、「調査情報」の編集部に戻って細かいところまで話す。みんなはそれを喜んで聞いてくれる。私はそれを繰り返すことで学んでいったのだろうと思う。私が取材によって手に入れた細部のどこが面白く、どこが面白くないのか。私は彼らの反応を見ながら無意識のうちに取材の方向を修正していったのだ。

いまでも、たまに大阪に行き、道頓堀のあの料亭風のすきやき屋の前を通ると、鮮やかに甦《よみがえ》るものがある。

あの夜、私は、仲居さんが焼いてくれる甘く柔らかい肉を食べながら、この店の黒光りするような古く暗い廊下を歩きつづけていくと、その向こうには胸躍る思いをさせてくれる光り輝くような世界があるのかもしれないと思った。

そこには別に光り輝く世界はなかったが、胸躍る思いをさせてくれる瞬間は間違いなくあった。それが、この「取材をして書く」という仕事を、自分でも意外なほど長く続けさせてくれた理由だったように思う。

そして、その道頓堀から、私は自分の名前が記された一枚の名刺を手に、もういちど日本全国を旅することになったのだ。取材という名の果てしない旅を。

外国を「発見」させてくれたのは沖縄の与那国島だった

私が初めて見た外国は台湾だった。「初めて行った」の間違いではない。私にとって、外国は行くものではなく、まず見るものとして存在したのだ。

それは、ＴＢＳの調査部内にあった「調査情報」の編集部で、いつものように夕方の酒宴をしている時だった。

その日、私が呑《の》み会に参加すると、編集長の今井明夫氏が、面白いものがあるんだよ、と言って一枚の紙切れを取り出した。いや、正確には「一枚」ではなかった。それは、ＴＢＳの夕方六時前後のニュース番組「ニュースコープ」で読まれた原稿のコピーだったから、読みやすいように大きな文字で書かれた五枚つづりのものだった。

①沖縄では、本土復帰後も台湾漁船の不法入域や不法上陸が相ついで起きています

が、那覇《なは》にある第十一管区海上保安本部は、このほどこのような台湾漁船の取り締まりに乗り出しました。

②那覇にある第十一管区海上保安本部によりますと、復帰後、与那国島《よなぐに》や西表島《いりおもて》などへの不法上陸が五十二件も発生しています。

③そして、きのうもおといも、台湾の二隻《せき》の船が西表島の祖納《そない》港に入港したうえ、台湾人を介して石鹼《せっけん》・煙草《たばこ》・ビールなど五、六百円相当の品物を買い入れていまず。

④このようなことから第十一管区海上保安本部では、出入国管理令による不法入国、税関法に基づく密輸出の疑いがあるとして取り調べていますが、刑事事件として取り扱ったのはこれが初めてです。

⑤なお、第十一管区海上保安本部としては、台湾船の不法入域に対する取り締まりに関して、具体的な方針を打ち出しておらず、台湾船の領海侵入は今後とも続くものとみられます。

差し出された五枚の紙切れに眼を通した私は、一瞬、何が面白いのかわからなかった。これがどうかしましたか、というように今井氏を見ると、それが特徴のいくらかせっかちな口調で言った。

「密輸出、と書いてあるだろう」

確かに、四枚目の紙切れには「密輸出の疑いがある」と書いてある。それがどうかしたのだろうか。私がまだ理解できないでいると、今井氏の横で静かにストレートのウィスキーを呑んでいた副編集長の宮川史朗氏が言った。

「おかしいと思わないか？」

私が、まるでテストを受けているようだな、などと思っていると、「調査情報」のもうひとりの編集者である太田欣三氏がそのあとを引き取った。

「密輸出の金額が五百円とか六百円とかいうんだぜ」

あっ、と私は声を出しそうになった。鈍感な私にもようやくわかってきた。「密輸出」などという大仰な罪状のわりには値段が「チンケ」すぎる。それを奇妙と思わないか、と言っていたのだ。

そうした眼であらためて読み直してみると、そのニュース原稿にはいくつも不思議なことが記されているのがわかってきた。不法上陸、不法入国、不法入域とおどろおどろしい言葉が躍っているが、台湾の漁民が「密輸出」したのは、「石鹼・煙草・ビールなど五、六百円相当の品物」だという。それは、「密輸」というより、ほとんど

「買い物」に近い。

「行ってみないか?」

宮川氏がそのかすように言った。

「五十枚!」

太田氏がなかば決まったことのように言った。

私がその「五枚つづりの紙切れ」を持って与那国島に行ったのは、その翌日のことだった。

いま思うと、その当時のフットワークの軽さには自分でもびっくりする。酒宴がお開きになり、取材費を受け取ると、家に帰って眠り、翌朝眼を覚ますとバッグに荷物を詰めて羽田に行き、その日の午後には沖縄に着いていた。

最近でこそ与那国島も不思議な海底遺跡などで全国的に知られるようになったが、当時は沖縄の本島でもほとんど知っている人がいないくらいだった。

いや、いわゆる「沖縄問題」の専門家でさえどうだったかわからない。たとえば、ある出版社の新書に収められた『シンポジウム　沖縄』という本を開いてみる。この錚々《そうそう》たる「沖縄問題」の専門家を集めて著された一九六八年刊行のこの本には、表紙裏に沖縄の地図が載っている。しかし、そこには、最南端の波照間《はてるま》島はあっても、最西南端にある与那国島は点としてすら見つからないのだ。

その与那国島に一歩足を踏み入れて、私は「ぶっとぶ」ことになる。当時、私は「ぶっとぶ」という言葉をよく使っていた。語彙《ごい》の貧しさを補うためだったのだろう、人に話すときも、自分自身に向かっても、この言葉を多用していたが、まさに与那国島で私はぶっとんだのだ。

それ以前に沖縄へ行ったことがなかったわけではない。本土復帰前に、渡航許可証というのを手に入れて、一カ月近くも滞在したことがあった。しかも、大部分の時間は沖縄本島でなく友人のいる石垣島で過ごしていた。だから、同じ先島諸島の風景や人や文化には、あるていど慣れているはずだった。しかし、与那国島には石垣島とはまったく違う時間が流れており、毎日が驚きの連続だった。見る風景、会う人たち、聞く話、呑む酒。私は与那国島で、不思議なこと、面白いことに次々と遭遇することになった。そして、滞在の最後の日近くに、久部良《くぶら》の港から巨大な大陸のような台湾の島影を見ることができたのだ。

吉行淳之介がよく言っていたことがある。ぼくは旅に出ると不思議と面白いことにぶつかるんだよ、と。確かに、旅に出ると面白いことにぶつかる人とそうでない人がいるような気がする。吉行さんと私の「面白いこと」は違うにしても、やはり私も面白いことによくぶつかる。面白いことが向こうからやって来るという感じさえする。それが与那国島への旅でも起こった。

私が与那国島でどんなことに遭遇するか、「調査情報」の三人が最初からわかっていたわけではないだろう。しかし、あのニュース・リリースを「面白い！」と思うことがなければ、何も始まらなかった。私は与那国島で刺激的な日々を過ごしながら、なるほど、なるほど、と思いつづけていた。私は、こうして、ゆっくりと「面白がり方」の技術とでもいうべきものを体得していったのだと思う。それはやがて、ものごとの見方の角度というようなものだと翻訳することになるが、一時はノンフィクションのライターたるものは、彼独自の面白がり方を身につけていなくてはならないのではないかと考えていた。そして、私の面白がり方は、明らかに「調査情報」編集部の三人に強く影響されていた。

東京に帰ってきた私は、すぐにその与那国島での日々について書きはじめた。すると、こんどは編集部の三人が「ぶっとぶ」ことになった。予定の枚数は五十枚だったが、私が果てしなく書きつづけたからだ。予定のページ数をオーバーし、締め切りに遅れつづけ、発行日を延ばさなくてはならないという段階になっても、まだ終わらなかった。書いても書いてもまだ書くことがあった。滞在期間はたった二週間弱にしかすぎなかったというのに、書くこと、書きたいことは無限にあった。ついに一号では収容できず、次の号に続き、そこでも終わらず三号にわたって書きつづけることになった。そんなことが可能だったのも、原稿を読んでくれていた太田氏が、面白いのだからどんなに長くなってもいい、書けるだけ書け、と言ってくれたからだった。

結果的に、それまで長くても五、六十枚ていどのものしか書いてこなかった私が、二百枚にも達しようかという「大長編」を書くことになった。もしこれが最初から二百枚と言われていたら茫然《ぼうぜん》として立ちすくんでいただろう。当時の私にとって、二百枚などというのはとてつもない枚数だった。しかし、この「視《み》えない共和国」が長さに対する恐怖心を取り除いてくれた。

だが、この与那国島への旅は、面白がり方を体得したり、長い文章を書くということへの恐れを取り除いてくれたという以上の意味を持った。

それは「外国」の発見だった。

私は与那国島の久部良から台湾を見ることができたが、その感動は自分でも意外なほど大きかった。それが私の見た最初の外国だった。そして、「視えない共和国」を書き終えてしばらくしたあとで、こう考えた。

それまで私には外国旅行など縁のないものと思っていた。とにかく金がなかった。アパートの電気やガスがしょっちゅう止められてしまうくらい金がなかった。だから、自分が外国へ行くなどということはないと思っていた。当分のあいだ外国を見るなどということはないだろう、と。

しかし、金がなくとも外国を「見る」ことはできるのではないか？

日本という国は確かに四面を海で囲まれている。もちろん、だからこそ、鎖国などということが可能であり、アジアでも数少ない独立国でありつづけることができたのだが、小学生の頃からそう教えつづけられてきたため、日本が外国から孤立し、隔絶した空間にあるということが必要以上に強く私たちの脳裡《のうり》に焼き付けられることになった。しかし、外国はそれほど遠いのだろうか。日本からそれほど離れているのだろうか。答えは「否」のようだ。実際、地図で確かめてみても意外なほど外国は近いのだ。

たとえば、与那国島は北緯二四度二六分、東経一二三度五六分、対馬は北緯三四度四三分、東経一二九度二七分、礼文島《れぶん》は北緯四五度二八分、東経一四〇度五七分にある。だが、このような位置の説明よりもっとわかりやすいのは、相対する外国からの距離で知る方法だろう。与那国島から台湾までは百十キロ、対馬は韓国にいちばん近い棹崎《さおざき》から五十キロ、樺太《からふと》までは礼文島から九十キロ、宗谷岬からは四十五キロしかない。

その結果、日本の国境にある三つの島と二つの岬からは外国が肉眼で見えることになる。与那国島からは台湾が見える。九州の対馬からは朝鮮半島が見える。北海道の礼文島と宗谷岬からは樺太が見えるし、ノサップ岬からはロシア領となっている千島列島が見える。

私は与那国島から台湾を見た。もしかしたら、これこそ、金のない私たちの「外国旅行」なのではあるまいか？

そのことに気がついて以来、私は機会あるごとに最も安価な「外国旅行」を繰り返すようになった。

対馬からは、夜、明るい灯火の揺れる釜山《プサン》の町が見えた。礼文島からは青い空の下で薄く靄《もや》にかすみながらも樺太が見えた。ノサップ岬からは、オホーツク海に点在する北の島々が間近に見えた。

つまり、それは、金のないことを逆手にとっての、私なりの「面白がり方」をしていたのだ。そして、この「外国旅行」の発見は、私のオリジナルな「面白がり方」によるものだという気負いがあった。誰かに教えられたのではない、私が見つけ出したものだ、と。

その「外国旅行」の発見は、実際に外国を訪れる機会が意外に早く来ることで、やがて色あせたものになっていく。

しかし、たとえそうだとしても、私にとって初めての外国が与那国島から見た台湾であり、そのときの感動が「外国旅行」というものへの眼を見開かせてくれたという事実は変わらない。

たったひとつの言葉をたずさえてユーラシアへの旅に出た

私は現在使っているものも含めると七・五冊のパスポートを持っている。〇・五冊というのは復帰前の沖縄に行くときに必要だった渡航証明書だが、残りの七冊はごく普通のパスポートである。ただ、整理するのに都合が悪いのは、そのパスポートが不《ふ》揃《ぞろ》いなことだ。表紙の色や大きさに関して、渡航証明書が他と違っているのは無理のないことかもしれない。しかし、日本の外務省が恣《し》意《い》的に色とサイズを変えていった結果、四種類もの異なるパスポートを持つことになってしまったのだ。

表紙の色には、紺色のものと赤いものとがあり、大きさには、葉書大のものとそれよりひとまわり小さい手のひらサイズのものがある。

その七・五冊のパスポートについてはそれぞれに深い思い出があるが、最も愛着があるのはやはり初めて取得したパスポートということになるだろう。表紙の色は紺で葉書大のものだが、他のものと比べるとかなり分厚くなっている。それは通常のページ数では足りなくなって旅先の日本大使館で追加してもらったためだ。それほど多くの国のスタンプが押されている。

そのパスポートに、最初に押された外国のスタンプは、楕円形の外枠に「1973.7.12 KIMPO」という記載のあるものである。そう、私は一九七三年七月十二日に初めて異国の地を踏んだのだ。降り立った空港は韓国の金浦《キンポ》だった。

韓国に行くことになったのは、カシアス内藤のボクシングの試合を見るためだった。彼は韓国で柳済斗《ユジェド》と東洋太平洋ミドル級タイトルマッチを戦うことになっていた。

当初、私が内藤の試合を見るため韓国に行きたいと言うと、「調査情報」編集部の今井明夫、宮川史朗、太田欣三の三氏は強く反対した。

「できすぎてるよ。つまらない。混血のボクサー、いまは落ち目の元チャンピオン。おまえさんはそんなわかりきったストーリーを書くことはないんだよ」

三人から口々にそのような意味のことを言われた。しかし、私には、いや、という思いがあった。確かに、よくある話かもしれない。通俗的な小説の世界では似たような話をいくつも読んできたような気がしないでもない。だが、現実に、ノンフィクションとしてそのようなストーリーを読んだことがあったろうか。新聞や週刊誌の小さな囲み記事を別にすれば、そうしたストーリーが充分な取材と必要なだけの長さで描かれたことはあったろうか。少なくとも、私は読んだことがなかった。

「大した試合じゃない。奴《やつ》は負けるぜ」

太田氏が言った。私もたぶん負けると思う。でも、どうしても行きたいのだ。私には珍しく頑強に主張すると、編集長の今井氏が苦笑しながら言った。

「まあ、行ってみるか」

そして、数日後、「お涙頂戴《ちょうだい》、なんて話は御免だぜ」と言いながら、宮川氏が韓国までの航空券と取材費を渡してくれた。

いまでは雑誌の取材で外国に行くと言っても誰も驚かないが、当時は極めて珍しいことだった。ところが、「調査情報」は、私の取材に関しては極めておおようだった。原稿料はとてつもなく安かったが、取材費はいつも充分すぎるほど出してくれた。それには、編集長の今井氏が、テレビの編成出身だったということも大きかったかもしれない。テレビ番組を制作する経費に比べれば、私の取材費などたかが知れていた。もちろん「調査情報」の予算には限りがあったろうが、今井氏にはテレビ屋らしいぞんざいさがあった。

カシアス内藤の試合は釜山《プサン》で行われることになっていたが、私はまず最初にソウルに足を伸ばし、韓国のボクシング界の状況を取材したいと思った。すると、今井氏はすぐに、かつて韓国へ行った折に世話になったという制作プロダクションの女性社長に連絡を取ってくれた。

「金浦空港に、その会社の誰かが迎えに来てくれるそうだから」

私が初めて取ったパスポートを持ち、初めての外国旅行となる韓国への旅の第一歩をソウルの金浦空港に記すと、そこには今井氏の言葉どおり、金《キム》という名の中年男性が車で出迎えてくれていた。そしてカタコトの日本語が話せるその金氏が、三日間のソウル滞在中、さまざまな場所に連れて行ってくれることになった。ボクシングのコミッショナー事務局、新聞社の運動部、そしてボクシングのプロモーターのオフィス……。

ソウルに着いた翌日のことだった。金氏が昼食をとるため食堂に案内してくれた。いま思い起こせば、それはソウル最大の繁華街である明洞《ミョンドン》の路地裏ということになるのだろうが、私には薄暗い小路をくねくねと抜けて、どこか得体の知れないところに連れて行かれたように思えた。

目的の店に入ると、内部はかなり薄汚れており、異様な匂《にお》いに満ちているように感じられた。しかし、店は客で溢《あふ》れており、ようやく空いたテーブルを見つけて椅子《いす》に坐《すわ》った。すると、金氏は、ちょっと自慢するように言った。

「ここはソウルでいちばん冷麺がおいしい店です」

それまで私は韓国風の冷麺というものを食べたことがなかった。いや、そもそも韓国料理というものを食べたことがなかったのだ。現在のように焼肉やキムチが家庭にまで入ってくるようになるのは八〇年代以降のことであり、私たちの幼い頃には家族で焼肉屋に行くなどということは考えられなかった。

やがて金氏が注文した冷麺が出てきた。金属のボウルに蕎麦《そば》のように黒っぽい麺が入っている。

私はそれを見た瞬間、胸がつかえそうになってしまった。理由はわからなかったが、自分には食べられそうもないと思えた。しかし、せっかく「ソウル随一」の店に連れて来てくれたのだ。食べないわけにはいかない。そして、ひとくち食べてみて、その麺のゴムのような食感に驚いてしまった。さらに、もうひとくち食べてみて、いよいよ本当に喉《のど》を通らなくなってしまった。だが、せっかく御馳走《ごちそう》してくれているのに食べないわけにいかない。ほとんど脂汗《あぶらあせ》を流すようにして、少しずつ口に運んでは食べていった。

暑い季節だったのが幸いした。私の汗は店内の蒸し暑さのせいだと思ってもらえただろう。それでも、三分の二まで食べ終わったところで完全にブレーキを起こしてしまった。どうにも食べられなくなってしまったのだ。ついに私はギヴアップし、三分の一を残してしまった。どうしてこんなにおいしいものを残すのだろう、というような金氏の視線を痛いように感じながら、私は打ちのめされるような思いでその店を出た。

ソウルから釜山に行き、カシアス内藤と落ち合った。試合は、「調査情報」の太田氏の言うとおり、「大した」ものにはならず、結果も敗北に終わった。私はそのことにも落胆していたが、実は、私自身に対しても自信を失いかけていた。冷麵が食べられなかったことが心理的に大きなダメージになっていたのだ。私は、自分に食べられないものがあるなどとは思ってもいなかった。それは、知識の有無などといったようなことと違って、自分の存在に深く関わる本質的な欠陥であるように思えた。私は釜山から日本に帰る飛行機の中で打ちひしがれていた。私は外国に行く資格があるのだろうか？

しかし、それから半年後、私は思いがけずハワイに行くことになった。

なぜそんなことになったかを説明するためには、私が原稿を書きはじめた最初の年の秋まで戻らなくてはならない。

大学を卒業した私は、ゼミナールの指導教官である長洲一二先生の紹介を受け、「別冊潮　日本の将来　秋季号」に、初めてのルポルタージュである「防人《さきもり》のブルース」を発表した。しかし、間違いなく原稿は雑誌に掲載されたが、反応と呼べるようなものはほとんどなかった。他人がどう読むかに関心はなかったものの、もう少しリアクションがあってもいいのではないかという気はした。

ただ、しばらくすると、「潮」の編集長の志村栄一氏から会いたいという連絡があった。もしかしたら、新しいルポルタージュの依頼かとも思ったが違っていた。

志村氏によれば、「日本の将来」の次の号に「文明論」の特集が予定されているという。ついては、「文明論」という枠組みの中で何か書けそうなことがあれば書いてみる気はないか、というのだ。志村氏が唐突とも思える提案をしてきたのには理由があった。

現在も存続しているかどうか定かではないが、私の学生時代に「日本学生経済ゼミナール」、通称「インターゼミナール」という大会があった。毎年、その実行委員会が各部門ごとに論文を募集する。そして、全国の大学から集まったものの中から優秀な何編かを選び、選ばれた論文を書いたゼミナールの学生たちは一堂に会して討議をする。

私たちのゼミナールでは、例年、三年生が「日本経済論」と「経済原論」の二つの部門に別れて応募することになっていた。しかし、どちらのテーマも退屈に思えた私は、ゼミナールの友人たちに了解を取り、ひとりで「社会思想史」の部門に応募することにした。その年の「社会思想史」のテーマは「社会主義とナショナリズム」というものだったが、私は「日本における社会主義と超国家主義」に絞って論を展開した。結局、三部門とも論文が通過した私たちのゼミナールは、全員で全国大会が催されることになっていた福岡の大学に向かったのだ。

長洲先生は、私がひとりででっちあげたその論文を読んで面白がってくれ、少し書き直して「現代の理論」に発表しないかと勧めてくれた。「現代の理論」は先生も旗頭のひとりである構造改革派の牙城《がじょう》と見なされている雑誌だったが、生来のものぐさからついに書き直して載せてもらうことをしなかった。しかし、そのことを覚えていてくれた先生は、志村氏に私を「売り込む」際に話しておいてくれたらしいのだ。

志村氏に会い、「文明論」という枠組みの中で何か書けないかと言われたとき、ふっとひとつのイメージが浮かんだ。「日本における社会主義と超国家主義」を書く際、戦前の思想史を俯瞰《ふかん》するだけでなく、戦後における思想史的な論争をそうざらいしたことがあった。そのとき大量に読んだ本や論文に関するノートを利用すれば、求められているようなものを書けるかもしれない。とりわけ、そのノートには、昭和二十年から一年刻みで「論潮」「論争の焦点」「主要論文」「日本の出来事」「世界の出来事」を記した一覧表が作成されていたはずだった。

「書けるかもしれません」

私が言うと、志村氏が半信半疑の表情で訊《たず》ねてきた。

「どんなテーマで?」

私はほとんど口から出まかせに答えた。

「戦後における文明論の変遷《へんせん》、というようなものなら書けそうな気がします」

その答えに、志村氏は強い興味を示しながら、本当に書けるのだろうかという小さな疑念を抱いているところも覗《のぞ》かせ、言った。

「そんなことができますか」

確たる自信はなかったが、できないこともないような気がした。

「わかりませんが、やってやれないことはないような気がします」

これもまた、自衛官に関するルポルタージュを依頼してくれた時と同じく、できればいいし、できなければできないでいいという判断があったのだと思うが、志村氏は最後にこう言った。

「では、お願いします」

それから二カ月、ということは、二十三歳の誕生日の前後の二カ月ということだったが、私は集められるだけの本を集め、読めるだけの本を読み、なんとか五十枚の論文を書き上げた。タイトルは「戦後思潮と文明論の変遷」。しかし、正確には、文明論の変遷というより、日本文化に対する認識がどのように変化していったかを論じるものになった。私のささやかな発見は、戦後の日本においては、真に「文明論」と呼べるようなものはなく、そのほとんどが「文明化論」にすぎないということだったのだ。

私が締め切りの少し前に書き上がった論文を手渡すと、志村氏はその場で読み、意外そうな表情を浮かべて言った。

「いいですね」

その論文は、一九七二年の一月に発行された「日本の将来　冬季号」に、ページ数の都合なのか数カ所カットされて掲載された。私は出来上がった雑誌を見て、それ以外に二つのことに驚かされた。

ひとつは、それが巻頭の論文になっていたことだった。そして、もうひとつは、それが匿名《とくめい》の論文になっていたことだった。いまになれば、どうして匿名にしてしまったのかの理由はわかるような気もする。たとえ、そこそこの出来のものになっているとはいえ、大学を出たばかりの、しかもどこの誰かもわからないような若造の書いた論文を、高名な大学教授や評論家をさしおいて巻頭に据えるわけにはいかないと考えたのだろう。当初は、なんとなく釈然としなかったが、いまさら文句を言っても手遅れだと判断し、志村氏にはクレームをつけなかった。しかし、それ以来、書いたものが匿名になってしまうようなことは極力避けてきたから、いまのところ、私にとってそれが最初で最後の匿名の文章ということになる。

それはさておき、この「戦後思潮と文明論の変遷」に関しても反応らしい反応はなかった。もっとも、私が書いたとは誰にもわからなかったのだから、当然と言えば当然のことだったのだが。

ところが、その号が発売されてしばらくすると、奇特な人が現れた。「潮」の編集部に「戦後思潮と文明論の変遷」の筆者を教えてほしいと何度も電話を掛けてきた人がいるのだという。最初は教えられないと突っぱねていたのだが、あまりにも熱心なので当人に了解が得られたらと返事せざるをえなくなった。名前と電話番号を教えてもいいだろうか、と編集部から連絡があった。もともと私の方には匿名にするつもりはなかったので、どうぞと答えると、すぐにその人から電話が掛かってきた。そして、ぜひお会いしたいという。その人は今村新之助と名乗り、読売新聞の者だと言った。

いまでも、今村氏が読売新聞のどこの部に属していたのかわからない。間違いなく読売新聞の名刺を持っていたが、そのときすでに記事を書くことはなくなっていたような気がする。

会うと、今村氏は、私の「戦後思潮と文明論の変遷」をこちらがびっくりするほど高く評価してくれた。そして、こうも言った。あなたの文章は学者の文章でもないしジャーナリストの文章でもない。私がこれから生み出そうとしているメディアにはあなたのような文章の書き手が必要なのだ。私の主宰する研究会に出席してもらえないか。そう熱っぽくしゃべった。

私にとって、このような未知の人から、自分の書いたものを褒められるのは初めての経験だった。今村氏が出したいと思っているのは、新聞とも雑誌とも違う第三の活字メディアだということだったが、具体的にどのようなものなのかはよくわからなかった。しかし、褒められたことがよほど嬉《うれ》しかったのだろう、それから今村氏が主宰する研究会にときどき顔を出すようになった。

そこには、読売新聞を辞めたばかりで、週刊誌のアンカーマンをしながら署名原稿を書きはじめていた本田靖春氏も来ていたし、新聞に批評の欄を持っている高名な音楽評論家や、のちに大学の教授に転身する若手の経済官僚たちも来ていた。そして、そこで建築家の磯崎新氏とも知り合ったのだ。

今村氏はいくつかのプロジェクトを並行して手掛けていたが、その中のひとつに多目的ビルの建設というのがあった。

それは、溜池《ためいけ》に広大な土地を持つ資産家が、コンサートホールやホテルを含む多目的ビルを建てようとしており、どんなコンセプトの建物がいいか相談されたところから出発していた。今村氏は、そのための研究会を組織し、文化人や建築家から話を聞くという作業を続けていた。私はずぼらな出席者だったが、そこで「DEN」などというまったく耳新しい言葉を聞いたりした。その建物には、個人的な書斎とも言うべき「デン」をぜひとも備え付けたい、というようなことだった。

そんな風にして二年ほどが過ぎた。

あるとき、磯崎氏がハワイ大学で集中講義をすることになった。すると、今村氏は、私にこんな提案をしてきた。一緒にハワイに行かないか。一週間ほどハワイに滞在し、一日数時間だけ磯崎氏と対話する。それをテープレコーダーに録音しておき、資産家に聞かせる。要するに、磯崎氏の建築に対するイメージの引き出し役を務めないかというのだ。テニスの壁打ちの壁、あるいは野球のフリー・バッティングのバッティング・ピッチャーのような役割を果たしてみないかということのようだった。実を言えば、私は建築についての知識もなければ、磯崎氏がどういう人かもよく知らなかった。その私をどうして磯崎氏の考え方の引き出し役にしようとしたのかわからない。ただ、磯崎氏と初めて引き合わせられたとき、建築とはまったく無関係の話題で盛り上がり、何時間もおしゃべりを続けてしまったということが大きかったのかもしれない。

一日に数時間だけ対話するという以外に義務はないという。しかし、往復の航空券と滞在費は持つが特別な報酬はなく、あえて言えばハワイで一週間ほどのんびりできることが報酬になるかもしれないというだけだった。私には、ハワイに行きたいという強い気持はなかったが、海辺のホテルでのんびりできるというのには惹《ひ》かれた。結局、私は、磯崎氏と「対話」はできないが、「雑談」でいいなら、という条件つきで引き受けることにした。

あまり期待はしていなかったが、そのハワイでの日々は信じられないほど楽しかった。泊まったホテルはモアナというコロニアル風のホテルであり、低層の木造建物のたたずまいが魅力的だった。そのホテルの一室で、午後の二、三時間雑談をすると、あとは何もすることはない。砂浜に出て泳ぐか、部屋で昼寝をしているか。そして、夜になると、磯崎夫妻や今村氏たちと食事に行く。帰りには、涼しい夜風を浴びながら、みんなで土産物屋を冷やかしたり、ゲームセンターで遊んだりする。

そして、また翌日の午後になると、ハワイ大学での講義を終えた磯崎氏とモアナホテルの一室で雑談をするのだ。

当時の磯崎氏は、日本国内で最も期待されている中堅の建築家というだけでなく、世界的に認知されるための階段を着実に上っている建築家でもあった。

その磯崎氏に対して、無知な私は、どうせ東京の真ん中にビルを建てるなら、恐ろしく権威主義的な建物がいいなあ、などと馬鹿《ばか》なことを口走る。すると、磯崎氏は、一九三〇年代のドイツの、ワイマールからナチスの時代にかけての建築と建築家について話してくれたりする。それに対して、また私が頓狂《とんきょう》なことを持ち出して、話を混乱させていく……。

時には、夫人の宮脇愛子さんも雑談に加わることがあった。

そこで宮脇さんのハッとするような意見を聞いて、この人はどのような人なのだろうと思ったりした。実は、私は磯崎氏のことを知らなかった以上に宮脇さんのことを知らなかった。

本来、宮脇愛子さんは抽象的な画風の画家だったが、二十代から三十代にかけてミラノやパリやニューヨークに留学し、そこで高名な芸術家たちと知り合うことで大きく変化していったらしい。日本に帰った宮脇さんは、活動の重心を抽象画から立体造形のジャンルへ移していく。そして、私がハワイで会った頃は、造形家、彫刻家としての地歩を固めつつある時期だった。しかし、そのときの私はそんなことをまったく知らなかった。

宮脇さんのエッセイ集『はじめもなく終りもない』を読むと、そのあたりのことがよくわかる。中でも、表題作となった短いエッセイ「はじめもなく終りもない」には、水彩のように淡いけれど、なぜか心に深く残る情景が描かれている。

時は一九六〇年代初めの秋の夕暮れ、場所はパリの街角のとあるカフェ。若い宮脇さんは数人の老人たちとテーブルを囲んでいる。

老人たちはペルノーを呑《の》みながら昔話をしている。一九二〇年代のパリと、そこでの彼らの生活ぶりについてだ。

あのころはまったくよく歩いたなあ、とひとりが言う。あのころの君は気取り屋だったな、と別のひとりが言うと、いや、大真面目《おおまじめ》だったのさ、とさらに別のもうひととりが答える。あるいは、四十年も前の乱痴気騒ぎのパーティーの記憶が、当時の女性たちの美しさの思い出を呼び覚ましたりもする。

そうしたとりとめもない話は、しかし宮脇さんの眼の前に、一九二〇年代のダダやシュールレアリスムの芸術家やその周辺の出来事を鮮やかに浮かび上がらせてくれるものだった。それもそのはず、その老人たちとは、伝説の巨人、マン・レイであり、ハンス・リヒターであり、ナウム・ガボだったからだ。

彼らの傍らで耳を傾けているうちに、あらゆる現実的なものに絶望し、おおげさな形や色に興味を失って途方に暮れていた宮脇さんに、啓示に似た瞬間が訪れる。

この人たちの何という自由な動き、自由なまなざし——。

白濁した液体であるペルノーの一滴一滴は、私の身体中をしばりつけていたかと思われるわなをゆっくりと、そして確実にといていく作業にかかってくれたようであった。

私がハワイで会ったのは、そうしたパリでの日々から十数年が過ぎた頃だった。そして今度は、そのときの宮脇さんのような年代の私が、ホノルルのコーヒーショップで、レストランで、磯崎氏や宮脇さんが今村氏とかわす会話に耳を傾けることになったのだ。

　それはハワイに着いて最初の夜だったと思う。私たちは、ワイキキのカラカウア通りから海に向かって少し入ったところにあるシーフード・レストランにいた。

　食前酒を呑み終わる頃、ウェイターが料理の注文を取りにきた。私が、ようやくメイン・ディッシュとしてマヒマヒという魚のムニエルを選び、サラダをシンプルなグリーン・サラダに決めると、ウェイターが早口で訊《たず》ねてきた。しかし、学校でしか英語を学んだことのない私には、彼の英語が聞き取れなかった。

「パードン？」

　二度ほど訊《き》き返したが、わからない。すると宮脇さんがやさしい口調でこう言った。

「ドレッシングは何にするかと訊いているのよ」

　私は少し恥ずかしくなり、慌《あわ》ててフレンチ・ドレッシングはありますかと訊ねた。訊ねたつもりだった。しかし、私の英語はまったく通じない。すると、また宮脇さんが教えてくれた。

「そういう時はね、ｈａｖｅを使えばいいのよ」

言われた通りに〈ｈａｖｅ〉という動詞を使って訊ねると、ウェイターはいとも簡単に私の言いたいことを理解してくれた。

そのときの驚きは大きかった。ひとつは、そのときの宮脇さんの口調が、何も知らない私を哀れんだり蔑《さげす》んだりすることのない、それでいて過剰なやさしさをにじませることのない、見事なくらいさりげないものだったということがある。だが、それ以上に私には、たったひとつの単語、たったひとつの言いまわしを知ることで世界が開けるということを知ったことが大きかった。

私は、ハワイ沖でとれたという白身魚のムニエルを食べながら、磯崎氏や宮脇さんの口から発せられるマン・レイやイサム・ノグチや瀧口《たきぐち》修造の話に聞き惚《ほ》れた。ある意味で、それは若い宮脇さんがパリで経験したと同じ状況であったかもしれない。そして私はぼんやり思ってもいた。自分はいつの日にか、今日手に入れた〈ｈａｖｅ〉という言葉を武器に、世界を歩いていくことになるかもしれないな、と。

私が、結果として一年に及ぶ長さになってしまう旅に出るのは、そのすぐあとのことだった。まさに〈ｈａｖｅ〉という単語ひとつを携えて。

その長い旅では、不思議なことに、どんなものを出されても、食べられないということがなかった。ソウルで、冷麺が食べられなくて脂汗《あぶらあせ》を流しそうになったことなどまったく嘘《うそ》のように、すべてがおいしかった。

たぶん、あれは冷麺だから食べられなかったのではなかったのだろう。異国でまったく初めての食べ物に遭遇した私が、一種のパニックを起こしてしまっただけなのだろう。そういう経験を一度したおかげで、もう二度とその種のことは起こらなくなっていたのだ。

第二章　旅の始まり

彼がいなかったらロンドンが最終目的地になっていただろうか

なぜそのユーラシアへの旅の最終目的地がロンドンだったのか。

実は、私にはどうしてもロンドンでなければならないという強い思いはなかった。ただ、アメリカではなくヨーロッパだということははっきりしていた。

いまになるとそれが不思議なのだが、どうしてアメリカに行こうと思わなかったのだろう。小さいころから、テレビを通してアメリカ文化の洗礼を受けていたはずである。もし、少年時代に好きだったテレビ番組のタイトルをあげろと言われれば、五つのうち四つはアメリカのテレビ映画になるような気がする。

ヨーロッパについては、単館ロードショー系の映画館で見たイギリスやフランスの映画を除けばほとんどが書物を通しての知識だったが、アメリカは映像や音楽を通して肉体的にもっとダイレクトに入ってきていた。

もしかしたら、そこには父の見えない影響があったのかもしれない。やはり彼らの教養の基礎はヨーロッパにあったからだ。父の愛読書はゲーテやジイドだったし、好きな映画は戦前のフランス映画とドイツ映画だった。父との会話の中で出てくるのは、やはりアメリカよりヨーロッパに関する話題の方が多かった。

のちに、私が旅に出たことを契機として詠《よ》まれた父の俳句は次のようなものである。

薔薇《ばら》の香やついに巴里《パリ》は見ざるべし

巴里はいま枯れ葉も尽きし街とこそ

これがパリではなく、ニューヨークでも同じように詠めたろうかと考えると、やはりヨーロッパの、それもパリでなくてはならなかったかもしれないと思う。

そうした父の影響を知らず知らずのうちに受けていたということもないではなかったろう。しかし、それが決定的な理由ではなかったはずだ。

なぜ私はヨーロッパに行こうとしたのか。

それには、植村良己という友人の存在が大きかったような気がする。植村直己《なおみ》と字面《じづら》が似ているためよく間違えられることがあったようだが、もちろん冒険家ではない。

その植村とどのように知り合ったのか正確に記憶していない。たぶんこうだったろ

う と思うだけだ。

私は二十二歳のとき、ノンフィクションの書き手になろうというはっきりとした意志もないまま、偶然のことから若い自衛官をルポルタージュすることでジャーナリズムの世界に入っていった。

そして、その第二作をということになったとき、自分が比較的よく知っている演劇の世界について書こうと考えた。しかし、評論でなくルポルタージュを書くためには新たな取材が必要だった。唐十郎の「紅テント」、佐藤信の「黒色テント」、そしてもちろん寺山修司の「天井桟敷《さじき》」の芝居も取材の対象になった。

寺山の市街劇『人力飛行機ソロモン』を見ているときだったと思う。やはり取材に来ていたTBSラジオのディレクターの田中良紹《よしつぐ》氏に声を掛けられた。そして、少し立ち話をしたあとで、後日この芝居のことを中心にラジオでしゃべってくれないかと頼まれた。若い田中氏は、自分と同じような世代の中に新しい才能の芽を見つけ出そうという野心に満ちていた。

約束した時間にスタジオに行くと、私以外に華奢《きゃしゃ》な体つきの若者がいた。それが植村だった。田中氏が紹介してくれたところによれば、かつて「天井桟敷」に所属していたが、いまはそこを離れ、寺山修司の元夫人である九条映子さんのプロダクションの手伝いをしているということだった。

そのときどんなことを話したかよく覚えていない。ただ、ひとつ記憶しているのは『あしたのジョー』についての話だった。彼は主人公の矢吹丈ではなく、力石徹をはじめとするライバルの側から『あしたのジョー』を解析していったのだ。私はなるほどと思った。あの漫画に対してこんな見方をすることができるのか……。

それを契機として、私たちはときどき田中氏の夜の時間帯の番組で話をするようになった。植村は、どんなテーマの話でも、思いがけない角度から、切れ味のいい意見を次々と繰り出してきた。話題の豊富さ、レトリックの華麗さ。私は、早熟な才能というのはあるものなのだな、と思った。そこに寺山修司の影響、悪く言えば口真似《くちまね》をしているという気配がなくはなかったが、明らかにいままで私が遭遇したことのない種類の才能だった。

やがて私たちは、スタジオの中だけでなく、外でも付き合うようになった。とにかく私たちには限りなく暇な時間があったのだ。

植村と話しているといろいろなアイデアが生まれ、それがさまざまな「遊び」に発展していった。たとえば、私の『地の漂流者たち』という初期のルポルタージュを集めた本に収録されている「性の戦士」は、そうした私たちの「遊び」の中から生まれたものだった。話しているうちに、短期間でピンク映画を見られるだけ見て、セックスシーンの回数をはじめとする馬鹿ばかしい「統計」を取ってみようということになったのだ。

その植村が、ある日、ヨーロッパに行くと言い出した。東由多加《ひがしゆたか》の「東京キッドブラザース」がヨーロッパ公演をするのに際し、「キッド旅行団」というのを組織することになった。自分もその一員として参加することにしたというのだ。植村にとって、東由多加は、同じ「天井桟敷」出身ということもあって、兄貴分のようなところがある存在だったらしい。植村は、そのとき、軽い調子で「一緒に行かないか」と誘ってくれたが、三十万円という参加費がなかったというだけでなく、団体で旅行をする気のなかった私はあっさりと断った。

のちに、この「キッド旅行団」は、東由多加を編者とする本を出す。『さくらんぼ漂流記』というその本の中で、植村はこんな風に自己紹介をしている。

《植村良己（24歳）　S21・12・13生　高校卒——私にとって、ヨーロッパだからということはなかった。それまで東京にいて、それほど縛られることもない仕事で、いくばくかの貯金があり、そこへたまたま誘いがあったので行く気になったのです。気持の良い相手だったら行く気になるでしょう。そんな感じです》

私は植村を自分と同じ年齢だと思っていたが、これを読んで一歳上だったことを初めて知った。私が早熟と感じた才能も、もしかしたら年上ということと無関係ではなかったかもしれないと思うようになった。

ともあれ、知り合ったのが一九七〇年の秋、植村がヨーロッパに向かったのが一九七一年の春だから、付き合いはわずか半年にしか過ぎなかった。しかし、私には濃厚な付き合いをしたという印象がある。やがて私は、TBSの「調査情報」という雑誌の編集者たちにジャーナリスティックな面白がり方とでもいうべきものを教わるようになるが、そのひとつ前の段階では植村にサブカルチャーに対する視角とでもいうものを伝授してもらったような気がする。

四カ月後、植村はヨーロッパとアルジェリアを旅行して日本に帰ってきた。それからは、私が本格的にルポルタージュを書くという仕事を始めたということもあり、以前のように頻繁に会うことはなくなったが、植村の話してくれるアムステルダムやアルジェでの出来事には強い印象を受けた。

私が旅に出ようと思うようになるのは、植村が日本に帰って二年後のことである。そして、私が実際にヨーロッパに向かうということを知ると、植村は一枚の紙を餞別《せんべつ》がわりにくれた。そこには彼独特の小さな字で次のようなことが記されていた。

☆パリ
カルチェラタン界隈《かいわい》のカフェ
アングラ劇団――グランギニョル、マジックサーカス
街外れのパブに巣くうジゴロ、街娼《がいしょう》、アルジェやトルコからの出稼ぎ者
ローティーンによるピストル騒ぎとダンスホール
☆アムステルダム
ヨーロッパのドラッグシーン――パラディゾー、コスモス
ヒッピーの溜《た》まり場――ダム広場、バンデルパーク、ホテルヤング
☆アルジェ
行くチャンスがあれば、ぜひ行くべし
カスバ――迷路、アプリオリな人間の営み
☆ローマ
…………

これは私が旅に持っていったほとんど唯一《ゆいいつ》の「トラベルガイド」だった。結局、ここに記されているどこにも行くことはなかったが、最後までザックの奥に大切にしまわれつづけた。

その植村は、やがて東京に見切りをつけ、故郷の高松に帰った。それからのことはよく知らないが、あるとき、高松のユニークな劇団が東京で公演するという新聞記事が眼に留まった。その主宰者として植村の名前が記載されていたのだ。

植村は、意外な粘り強さで寺山修司の「灯」を守りつづけているらしかった。

みんなと同じことをするのがいやだったから西に向かった

ところで、同じヨーロッパに行くにしても、いきなりロンドンやパリに行くのではなく、なぜアジアから西に向かっていこうとしたのか。つまり、どうしてロンドンからデリーではなく、デリーからロンドンだったのか、ということだ。

当時の貧乏旅行者のオーソドックスなルートは、まず船でナホトカまで行き、シベリア鉄道でヨーロッパに入り、陸路インドを目指すというものだった。小田実も、シベリア鉄道ではなくアメリカからの航空機によってヨーロッパに入っていたが、この行程の変種だったということができる。ほぼ全員が、ヨーロッパからアジアへ、西から東へというコースを取っていた。

それがどうして私は逆のコースを取ることになったのか。

その理由について前川健一氏は『旅行記でめぐる世界』という本の中で次のように述べている。

《沢木が、当時の主流であった「ヨーロッパからアジア」というルートではなく、「アジアからヨーロッパ」というルートを選択できたのは、第一作『若き実力者たち』の印税があったからだ。カネがあるから、ヨーロッパで働く必要がない》

なるほど、そういうこともあっただろう。しかし、それはアジアからヨーロッパに向かうコースを取る必要条件ではあっても十分条件ではない。なぜなら、ヨーロッパからアジアに向かう旅をしたすべての人がヨーロッパで稼がなくてはならなかったというわけではないからだ。当時の、若い長期旅行者の多くは、金があってもなくてもヨーロッパからアジアを目指した。

だが、私はそうしたルートを取ることをまったく考えなかった。

ひとつには、他人と同じことをするのがいやだったということがある。誰もがシベリア鉄道でヨーロッパに入り、アジアに下ってくる。それについては多くのことが語られている。行き方もなにもかもすべてわかっている。だから安心だという人もいただろうが、私にはつまらなく思えた。

ごく単純に、人とは違うことがしたかった。それがすべての行程をバスで行くというアイデアにつながった。誰もができるけれど、誰もしないような馬鹿ばかしいことをしたかったのだ。

誰もしないようなことをする。それを独創性といってしまうと大袈裟《おおげさ》に過ぎるが、ささやかなオリジナリティーの淵源《えんげん》が人と同じことはしたくないという「意固地さ」にあったことは確かだと思う。

しかし、それだけでも、私がアジアからヨーロッパを目指した理由のすべてを言い尽くしたことにはならない。

そのいちばん深いところにある「思い」にまで掘り進んでいくと、私が初めての外国である韓国に行ったときのことにぶつかる。

ソウルに向かう飛行機が日本海を渡り、韓国の上空に差しかかったとき、不思議な心のときめきを覚えた。

ここからパラシュートで降下し、地上に舞い降り、西に向かってどこまでも歩いていけばパリに行くことができるのだな。もちろん、そのあいだには北朝鮮があり、中国があって通過できないだろうが、原理的には歩いてヨーロッパに行けるのだな、と。

そのときの心のときめきはいつまでも私の体の中に残っていた。

私が外国への長い旅に出ようと考えたとき、そのときめきが西回りのルートを選ばせたと言えるような気がする。さすがに徒歩で行こうとは思わなかったが、とりあえず地続きで行けるところからヨーロッパを目指そうとしたのだ。

出発点はデリーにした。もちろんカルカッタでもよかったのだが、デリー発ロンドン行の方が、カルカッタ発ロンドン行より口にしたときの響きがよかった。同じことは目的地であるロンドンにも言えた。別にパリでもアムステルダムでもよかったのだが、デリー発パリ行よりも、デリー発ロンドン行の方が口の中で転がしたときの切れ味がいいように感じられたのだ。

デリー発ロンドン行。

しかし、そうは言っても、デリーからロンドンまでの全行程を一台のバスで行くつもりはなかった。そんなバスが実際に走っているのかどうかもわからなかったが、かりに走っていたとしても乗ることはなかっただろう。私は、その土地をごく当たり前に走っているような乗合バスを乗り継いでロンドンまで行きたいと思ったのだ。

もちろん、そんなことができるのかどうかわからなかった。デリーからロンドンまで乗合バスが走っているのだろうか。そもそも現代のシルクロードに乗合バスが走っているような道があるのだろうか。

私は、デリーからロンドンまで乗合バスで行く、というアイデアを抱えたまま、どうしようか迷いつづけていた。とりあえずデリーまで行ってしまえばあとは何とかなるのではないか。そう思う一方で、途中でバスを見失い、道を見失い、立ち往生してしまうのではないかという恐れも消えなかった。

その迷いを拭《ぬぐ》い去り、結果的に私の背中を押してくれることになったのは、一九七三年の暮れに出た雑誌に載っていたひとつの文章だった。

それは井上靖が書いた「アレキサンダーの道」という紀行文の連載第一回の文章だった。掲載誌は「文藝春秋」の一九七四年の一月号であり、発売は前年の十二月十日だった。

その冒頭で井上靖はこう書いていた。

今年（昭和四十八年）の五月から六月にかけて、アフガニスタン、イラン、トルコの主として古代遺跡だけを漁《あさ》って、自動車で経巡った。約一万キロくるまに揺られた荒い旅であったが、私にとってはすべてが初めての経験だったので、たいへん面白かった。

一行は考古学の江上波夫、画家の平山郁《いく》夫《お》両氏のほかに、長島弘三、石黒孝次郎、ナジブラ・モハバッド氏等が加わり、平山郁夫夫人も同行された。

全部で七人の旅である。

これを読んだ瞬間、「そうなんだ!」と声を上げたくなった。いや、もしかしたら、本当に指くらい鳴らしていたかもしれない。「アフガニスタン、イラン、トルコ」というのは、まさに私が赴こうとしているルートそのものではないか。もちろん、この人たちは、行った先々で日本の大使館の接待を受けたり、いろいろな企業の駐在員の世話を受けたりしたのだろう。しかし、少なくとも自動車で行ったことは間違いないようだ。道はある。それなら、乗合バスが走っていないこともないだろう。あの老人たちが行けたのだ、私に行かれないはずがない、と思った。

しかし、ご当人たちは自分のことをあまり齢《とし》を取っているとは思っていなかったらしい。

というのは、旅から帰って何年も経《た》ったある日、平山郁夫さんから電話がかかってきた。自分の出身地である広島でシルクロードに関するシンポジウムを開くから来てくれないかというのだ。私はシンポジウムというものがあまり好きではなく、いっさい出ないことにしているので断ろうと思った。だが、ふと、それでは「義理」に欠けるかなという考えが頭をよぎった。私は平山さんを含めたあの一行の旅にインスピレーションをもらったのだ。一回くらい「義理」を果たさないといけないのではないか……。

出席することにした私は、会場の控室で平山さんに初対面の挨拶《あいさつ》をした。そのとき、どうしてこのシンポジウムに参加する気になったのかを話した。

「井上靖さんの『アレキサンダーの道』を読むと、平山さんも一緒に車で行かれていて、雑誌連載時には挿絵《さしえ》まで描いていらっしゃいますよね。実は、ぼくの旅が成立したのも平山さんたちが先に行ってくださっていたからでした。現代のシルクロードも車で行くことができるとわかって、乗合バスを乗り継いで行くという長い旅に出ることができたんです。本当に感謝しています」

そこでやめておけばよかったのだが、つい口が滑ってしまった。

「あんなお齢の方たちが行けるんだから、自分が行けないはずがないと思ったんです」

すると、平山さんがちょっと怒ったふりをして言ったものだ。

「その当時、私たちはまだそんなに年寄りではありませんでした」

すぐに、私がすみませんでしたと謝ると、平山さんが笑いながら付け加えた。

「あなたの眼にはそう見えたかも知れませんけどね」

確かに、当時の私から見れば十分に老人だったのだ。

いずれにしても、私はこの「アレキサンダーの道」の一回目の文章を読んで、「繋《つな》がりそうだ」と思った。

インドとパキスタンの国境は外交関係の悪化にもかかわらず越えられそうだということは知っていた。また、ギリシャから先のヨーロッパは何とかなりそうだった。わからなかったのは、パキスタンからトルコまでの道のりだった。しかし、井上靖たちの一行はアフガニスタンのパキスタン側からトルコのイスタンブールまで車で移動していた。まだ、いくらか不分明なところはあるが、デリーからロンドンまで乗合バスでいくことがまったく不可能ではなさそうだった。

私はそれを読んで、年が明けたら日本を出る準備をしようと思った。もしかしたら、春にはシルクロードをバスで走っているかもしれない……。

しかし、やがて日本を出ることになる私が、旅の出発点であるはずのデリーまで辿《たど》り着くのに、思いがけないほどの時間を費やしてしまうことになるのは、航空券を買うときに耳にした「ストップ・オーバー」という聞き慣れない言葉のせいだった。

当時はまだ、日本に格安航空券の販売を専門にする旅行代理店は存在していなかったのではないかと思う。いや、格安航空券という概念もなかったと思う。少なくとも、私は知らなかった。

とにかく、デリーまで飛行機で行くとすると、かなりの料金を取られる。なんらかの方法で安くすることはできないだろうか。

航空会社に勤めている友人に相談すると、よほどの大義名分がないかぎり無料の航空券を提供することはできないし、安いチケットを出すこともできない。ただ、インド航空ならディスカウントのチケットを出してくれるかもしれない。そう言って、インド航空の日本支社に勤めている人を紹介してくれた。その人と会うと、ここでは正規料金でしかチケットを出せないが、代理店なら条件付のディスカウント・チケットを出せるかもしれないという。

そこで、彼が紹介してくれた代理店を訪ねた。

その責任者と話しているうちに、意外なことがわかってきた。彼は、当時の私の仕事上のホームグラウンドともいうべき「調査情報」編集部で、私をマンツーマンで鍛えてくれていた太田欣三氏の親戚《しんせき》筋の人だったのだ。

私は、その代理店を訪ねていく際、名刺代わりに出版されたばかりの『若き実力者たち』を携えていった。すると、驚いたことに、彼は私の名前を知ってくれていた。日頃から親戚筋の太田氏の編集する「調査情報」に眼を通してくれていたからだった。

それが正規料金の半額ほどでチケットを手に入れられる幸運につながった。

ある日、代金を持ってチケットを受け取りに行くと、それを渡してくれた女性の事務員が、これでいいのか、という。このチケットは、デリーまで二回の「ストップ・オーバー」ができるのだが、一気にデリーに行ってしまっていいのかというのだ。私はそのとき初めて「ストップ・オーバー」という言葉の意味を知った。そして、途中で二つの都市に寄ることができると知り、それではと考えた。せっかくだから香港《ホンコン》とバンコクに「ストップ・オーバー」することにしようか。

それが、デリーに辿り着くまで数カ月を要することになってしまう「悪魔の囁《ささや》き」となり、豊潤な東南アジアを旅するという幸運をもたらしてくれる「天使の声」ともなるものだったのだ。

旅の資金はこんな風にして調達することができた

旅に出るためには金が必要である。当時、かなりの貧乏生活をしていた私がなぜ長期の旅に出ようなどと思うことができたのか。そのきっかけが初めて出した本の印税にあったことは間違いない。

私は旅に出る二年ほど前から「月刊エコノミスト」という雑誌で連載の欄を持っていた。「若き実力者たち」というタイトルのもとに、さまざまな世界において若く突出した才能を持った存在の人物論を書いていたのだ。

その「月刊エコノミスト」は、毎日新聞社の看板雑誌ともいうべき「エコノミスト」の兄弟誌であり、もし私の「若き実力者たち」が本になるようなことがあるとすれば、当然のことながら毎日新聞社の出版局から出るはずだった。ところが、連載の途中で、文藝春秋の新井信氏から出版の申し込みがあった。私はどちらでもかまわなかったが、「月刊エコノミスト」の編集長である高守益次郎氏が毎日新聞の出版局に話をしたところ、自社で出すことにこだわらないという返事を得たという。だから、と高守氏は私に言ったのだ。文藝春秋で出しなさい、その方がいい、と。

結果的にそれは私にとって幸いした。以後、ノンフィクションというジャンルに深い情熱を抱いていた新井氏に持続的に本を作ってもらうことができるようになったからだ。そしてまた、文藝春秋が出している雑誌からの仕事の依頼が多くなったということも、経済的に小さいことではなかった。言うまでもなく、それはすべて新井氏がひそかに口をきいておいてくれたおかげだった。

しかし、一九七三年の九月に出版された『若き実力者たち』は最初のうちまったく売れなかった。それは無理もないことだったと思われる。無名のライターが書いたノンフィクションなど文藝春秋がよく出したものだ、というのが大方の反応だったからだ。

定価七百八十円、発行部数六千部。嘘《うそ》か本当かわからないが、発売二週間目の調査では、文藝春秋の出版物では例がないほど売れていなかったという。この『若き実力者たち』が増刷されはじめるのは、三年後に『敗れざる者たち』が刊行されてからである。

だが、売れても売れなくても印税は入ってくる。それが日本の出版慣行のすばらしいところで、一割の源泉徴収税額を除いても四十万円が手元に残った。

それまで、家を出て暮らしていた私は、かなりの貧乏生活を送っていた。アパートの電気やガスを止められるのはしょっちゅうだったし、最後に残った十円玉で知人に金を持ってきてもらうための電話を掛けるなどということも一度や二度ではなかった。もちろん、アパートの部屋に電話など引いてなかった。引いていたとしても、すぐに料金不払いで止められてしまっていただろう。

そんな貧乏生活を送りながら、切羽詰まってはいなかった。少なくとも私は極めて気楽に日々を過ごしていた。取材をしていれば取材費によってあるていどの金の流れはあったし、「調査情報」の編集部や文藝春秋に行けば、誰かが食事をごちそうしてくれた。

つまり、そのような貧乏生活を楽しんでいたのだ。だいいち、健康でありさえすれば、いざとなれば金を稼ぐことはなんでもないという思いがあった。たまたま、いまは貧乏であることを受け入れているだけだと。

しかし、窮乏生活を続けていたことは間違いないのだから、四十万円もの大金が入ったら、何かを買うとか、もう少しいいアパートに移ろうとか、電話を引こうとか、おいしいものを食べようとか思ってもよさそうなのに、その金にはまったく手をつけることなく、あいかわらず貧乏生活を続けていた。何かのために我慢をしていたわけではない。買うといっても、別にほしいものはなかったし、そのアパートで満足していたし、電話は公衆電話で間に合っていたし、おいしいものは出版社や放送局の年長の人が常にごちそうしてくれていた。だから、四十万円は預金口座に入ったままだった。

いまでは、もうはっきりしないのだが、金が入ったから旅に出ようと思ったのか、その前から旅に出ようと思っていたのか。なんとなく、金が入ってから意識の上で旅が具体的なものになってきたような気がする。

行くと決めたとき、実はどのくらい金が必要なのかわからなかった。だいいち、日程もルートもはっきりしていなかったので、予算を組みようがなかったのだ。あるだけの金で、いられるだけ外国にいるということでしかなかった。三、四カ月くらい旅をしようかなという程度のことだったと思う。

私が旅に出ることを宣言すると、さまざまなかたちで友人や知人がカンパしてくれた。デリーからロンドンまでバスで行けるかどうか賭《か》けをするというかたちでカンパしてくれた友人もいれば、イスタンブールには海泡石のパイプというのがある、それをおみやげに買ってきてくれといって、必要な額の何倍もの金を渡してくれた知人もいる。

私のホームグラウンドのTBSの「調査情報」の編集部では、太田欣三氏がさっそく「奉加帳」を作って、調査部中に回してくれた。というのは、「調査情報」が、TBSの組織上は調査部という部局の一部門という位置づけがされており、編集部も調査部の大きな部屋の片隅にあったのだ。

当時の調査部長がよくできた人で、「調査情報」の編集部が年中お祭りのようなことをして遊んでいるのをニコニコしながら見ていてくれた。それもあって、私のことは「調査情報」の編集部が大事にしてくれているだけでなく、調査部全体で見守ってくれているというような感じがあった。だから、私がしばらく長い旅に出るということになると、調査部で送別会風の宴会が開かれ、奉加帳が回されることになったのだ。

そこには太田氏の筆になる次のような文章が記されていた。

今般、沢木耕太郎君が三月を期して、インドからシルクロードを経て、ヨーロッパに至る百日旅行にでかけることになりました。旅行とはいい条、野宿に野宿をかさねる困窮の旅であり、もしかしたら生還は期しがたいと本人は称しております。

ついては香典がわりに若干の御浄財のご喜捨願いたく、本人になりかわりお願いする次第であります。

調査情報編集部

（一口千円で何口にても可）

ここで百日旅行とあるのは、私が当初三、四カ月くらいで帰ってくるつもりだと言っていたからである。

このカンパには二十一人もの人が応じてくれた。それはアルバイトの女性を含めて、その部屋にいるほとんどすべてということだった。

そうしたさまざまな形のカンパの中で、溜《た》め息をつきたくなるような渡し方をしてくれたのは文藝春秋の編集者である松尾秀助氏だった。

松尾氏とはさほど多くの仕事をしたわけではなかったが、彼の自宅に遊びにいくなどして個人的に親しい付き合いをしていた。その松尾氏が、ある日、餞別だと言って薄い封筒を手渡してくれた。家に帰って開けてみると、驚いたことに金が入っていた。いや、金が入っていることは予想していたが、その金が普通の金ではなかったのだ。

きれいな百ドル札が一枚入っていた。

当時、一ドルが三百六十円の固定相場制は崩れていたものの、一ドルはまだ三百円くらいの価値があった。三万円もの大金をカンパしてくれる人は他にいなかった。しかし、私が感動したのはその額の大きさではなかった。これから異国に旅立とうとしている者に、百ドル札を一枚渡すというふるまいを粋なものに感じ、参ってしまったのだ。

私はその百ドル札を常にパスポート入れの奥深くにしまい、何かがあったときのためにと使わないでおいた。実際、その百ドル札が一枚あることでどれほど励まされたことだろう。心強かったことだろう。いざとなったら、これを使えばいいのだ、と思いつづけることができた。そして、ついに日本に帰るまで使わないままでいることができた。

私はその「百ドル札一枚の餞別」にしびれ、以後、知人が外国に行くときは同じようなことをしていた。外国に行くことが特別なことでなくなってその習慣はなくなったが、渡した相手にはやはり私が感激したのと同じように喜んで受け取ってもらえたものだった。

たとえば、初めての太平洋横断レースに参加するときの多田《ただ》雄幸《ゆうこう》氏にも百ドル札を一枚渡したものだった。すると、彼は小さなノートに洋上で作った十三の俳句を書いて持ってきてくれた。それが百ドルの餞別に対する、彼なりの土産だったのだ。

私は松尾氏の餞別のお礼として、彼の幼い息子のために、自分の通過した国のコインを一式収集し、日本に帰ってから渡した。もちろん、それは、総額にして数ドルにしかならないものだったが、重さだけで言えばかなりのものになる土産だった。

旅の資金は、さらに家族やその他のカンパと、出発前の数カ月に書いた原稿の稿料などを合わせて、七十万になった。そこからインドまでの航空券を買い、必要なものを買い揃《そろ》えても、まだ六十万近くが残った。私はそのほとんどをドルのトラベラーズ・チェックに換えてパスポート入れにしまった。

持ち物をザックに詰めるのは無限の引き算をするようなものだった

この旅の重要な資金源ともなったのは、私の最初の本である『若き実力者たち』の印税だった。

若き実力者たちとは、当時、私に近い世代で突出した才能や存在感を持った人たちであり、さまざまなジャンルから十二人を選んでいた。棋士では中原誠、指揮者では小澤征爾《おざわせいじ》、政治家では河野洋平、ゴルファーでは尾崎将司、映画監督では山田洋次、冒険家では堀江謙一、といった具合である。

もし、書く時期がもう少しあとだったら、冒険家としては堀江謙一ではなく植村直己を取り上げていたかもしれない。しかし、この当時、冒険家として私に最も興味深かったのはヨットの堀江謙一だった。日本人として初めての太平洋単独横断に成功した航海そのものより、画期的な冒険をしたあとの悪戦苦闘ぶりが、人生に関して多くのことを語っているように思えたからだ。

その堀江謙一に『太平洋ひとりぼっち』という著作がある。これは著名なライターの手助けを受けたものと言われているが、私にとりわけ強い印象を与えたのは、書かれている内容よりも、本の中に掲げられていた装備の一覧表だった。他の誰かも言っていたような気がするが、いわばこの一覧表の中に堀江謙一の冒険のエッセンスがこめられているようにさえ思える。

日本では前例のないその航海に何を持っていけばいいのか。わからないながらに必死に考えた末の結果がその一覧表になっているのだ。

一覧表は、リグ（帆装）、航海用具、衣料品、食料、清水、それ以外の水分、調味料、嗜好品《しこう》、台所用品、医療品、工具、日用品、文房具、書籍・雑誌、寝具類、その他に分かれており、それぞれにさまざまな品名が書き込まれ、数量も細かく記されている。

一九六二年という航海時の時代性を感じさせるのが、衣料品の中にあるのがパンツではなく「サルマタ」であることや、日用品の中にあるのがトイレットペーパーではなく「落とし紙」であることなどだが、金を倹約するためにどうにかして「手持ち」のもので済まそうという涙ぐましい努力に胸を打たれる。

もちろん、『太平洋ひとりぼっち』は堀江謙一を取材する際に読んでいたが、ユーラシアへの旅に出ようとする前に装備の一覧表を見直してみた。

そのとき、なるほど、と思ったことがある。その他という項目の中にカレンダーに関する次のような記述があったのだ。

《「日めくり」一冊　航海記録をつくるため。まい日むしる式のでないと、コンがらがる》

私も、旅に出てしまえば、日曜も月曜もない日々を送ることになるだろう。堀江の言う「コンがらがる」のを避けるためにはどうしたらいいだろう。

考えた末、持っていく予定のノートの冒頭に私製のカレンダーを作り、一日ずつ塗りつぶしていくことにした。しかし、実際には、そんなことをしなくても「コンがらがる」ことはなかった。そのノートに、毎日欠かすことなく、行程と金銭出納を記録した日記風のものを書くことになったからだ。

出発に際して、私も持ち物の「一覧表」を作った。しかし、やはり、参考になる例を知らなかったのでひとりで考えるより仕方なかった。とはいえ、堀江謙一のように、ひとたび海に出てしまったら二度と手に入れることはできないというほど切羽詰まってはいなかった。必要と思えば、旅の途中でも買い足すことができたからだ。しかし、堀江と同じように金のなかった私は、旅先で金を使うのは極力抑えたかった。できるだけ「手持ち」のもので済ませ、新たに買ったりしたくなかった。だから、必死に、持っていく物をどうするか考えた。だが、最初にできたリストを見て、呆然《ぼうぜん》としてしまった。たとえザックが二つあっても入りそうになかったからだ。私はリストを作り直すことにしたが、それは無限の引き算をするようなものだった。

旅するスタイルは、いまでいうバックパック姿だったが、当時のバックパックはいまのような機能的なものではなく、登山用のキスリングをいくらかスマートにしたていどのものにすぎなかった。

私はそれを上野のアメヤ横丁まで買いに行き、ついでに米軍の払い下げの品を売っている店でアーミー・グリーンのショルダーバッグを買った。

荷物を詰めたザックを背負い、貴重品を入れたショルダーバッグを肩に掛ける。これが私のイメージした旅のスタイルだったが、このスタイルは現在に至るまで基本的には変わっていない。

ショルダーバッグに入れていったのは次のものである。

パスポート

証明用写真
トラベラーズ・チェック
現金
航空券
カメラ

このうち、カメラを除いたすべては布製のパスポート入れにしまったが、やがて旅先でドミトリーに泊まるようになると、それは首からかけることのできるものに買い替えられることになる。大部屋では、寝るときも首にかけておく必要があったからだ。

それ以外の持ち物は、すべてザックに詰めていくことになったが、削りに削ったリストでも多すぎて入り切らなかった。そのため、一枚一枚、ひとつひとつ、持っていくのを諦《あきら》めることになった。

結局、引き算に引き算を重ね、最終的に持っていくことになったのは以下のものである。

コットンパンツ

トレーナー
半ズボン
長袖《ながそで》シャツ
半袖シャツ
ポロシャツ
海水パンツ
Tシャツ
パンツ
パジャマ（下だけ）
靴下
タオル
ゴムゾウリ
寝袋
袋状のシーツ
空気枕《まくら》
歯ブラシ

歯磨き粉
石鹼《せっけん》
ブラシ
ツメキリ
髭剃《ひげそ》り
替え刃
芯《しん》を抜いたトイレットペーパー
抗生物質
フィルム
大学ノート
メモ帳
ボールペン
エアメール用便箋《びんせん》
エアメール用封筒
茶封筒

地図
辞書
本
梅干し

これに、着ていくものとしてのジーンズとTシャツとデニムの上着が加わることになる。

袋状になったシーツというのは自家製で、封筒のようなかたちをしたものを母に作ってもらった。何かでそういうものを持っていくと便利だという記事を読んだのだが、それは実際に便利なものであり、暑い地域では寝袋より活躍してくれた。梅干しも母の手作りのものだった。保存用のプラスチック容器に二十粒くらい入れてくれたのだが、これは不思議なことに一粒も食べなかった。食べ物に関しては、その土地その土地で食べるもので常に満足していたからだろうと思われる。

医薬品についてはどうしようか迷ったが、近所の医師に頼んで抗生物質を出してもらい、それだけ持っていくことにした。

いまだったら、これにいくつか付け加えるだろうと思うものがある。物干し用のロープ、小袋に入った洗剤、そしてスーパーマーケットでくれるようなレジ袋。チケットや領収証を入れるために持っていった茶封筒のかわりにはクリアーケースを用意するだろう。

そして、いまだったら、水のないところに行くのでないかぎり、トイレットペーパーは持っていかないと思う。インドで紙より水と手の方がはるかに清潔で気持のよいことを教えられたからだ。

持ち物の中で最後まで迷ったのは本だった。

ガイドブックは早い段階で諦めた。私がやろうとしている旅に役に立ちそうなものがなかったからだ。しかし、何カ月もの長い旅のあいだ書物なしで過ごせるとは思えなかった。活字中毒というほどではないが、日頃から電車に乗るときも何か本を持っていないと落ち着かないというところがあった。

どんな本を何冊持っていくべきか。最初は候補として十冊くらいあったが、荷物を詰める段階で一冊ずつ減らさざるをえなくなっていき、最終的に三冊になってしまった。

残った三冊のうちの一冊は『星座図鑑』であり、もう一冊は『西南アジアの歴史』だった。

シルクロードを旅すれば至るところできれいな星空を見ることになるだろうが、どんなにきれいな星空を見ても星座がわからなくては文字通りの「星屑《ほしくず》」になってしまう。そこで、星座の本で確かめながら旅をしようと考えたのだ。

しかし、実際に旅をしていると、あらためて星空を眺めて星座を確かめるなどという時間はなかった。いや、時間はあり余るほどあったが、そんな気分にならなかったのだ。その本は、デリーで知り合った日本人にプレゼントしてしまった。

また、インドからヨーロッパに抜けて行くあいだに通ることになる西南アジアの国々については、私が最も知識を欠いている地域でもある。せめてその歴史のアウトラインくらいは頭に入れておきたいと思った。旅に出る前に読んでおくことも考えたのだが、実際に通過するところどころで読んだ方が頭に入るだろうと考えた。

星座の本は文庫サイズで軽かったが、西南アジア史はハードカバーの重いものだった。しかも、西南アジアにすぐ入るつもりだったのが、香港と東南アジアに長居をしすぎてしまったため、なかなか活躍する場面に至らない。重いものをザックに入れているのがいやさに、よほどどこかですれ違う日本人にあげようかと思ったが、彼らにしてもそんな本はほしくなかっただろう。

それでも、ようやく西南アジアに足を踏み入れることになると、その国々に関する歴史の本をその国々を実際に旅しているさなかに読むということができるようになった。そして、その西南アジアから次の地であるヨーロッパに足を踏み入れるという直前に、イスタンブールで日本人の大学生と知り合いになった。彼にこの本のことを話すとぜひ読みたいという。ありがたくプレゼントさせてもらうことにした。不要になったら自由に処分してくれと言っておいたのだが、それからしばらくして日本に帰ると、その大学生からきちんとした礼状とともに本が送り返されていた。

その二冊以外の一冊は、繰り返し読んでも飽きないものを持っていくことにした。小説だと一日ももちはしないし、再読はともかく三読四読に耐えられるとは思えない。それなら、詩だろうか。

悪くはないが、やはりそんなに長くはもたないだろう。私が恋しくなるとしたら、日本語の文章より、漢字そのものかもしれない。だとすれば、漢字がたくさん出ているものにすればいいのではないだろうか。

そこから漢詩が導き出されるのに時間はかからなかった。本屋に行き、漢詩の棚から中国詩人選集の中の一巻である『李賀《りが》』を選んだ。

漢詩の中でもなぜ李賀だったのか。それは、TBS「調査情報」の編集部で耳にした会話が発端だった。

あるとき、夕方恒例の呑《の》み会で中国唐代の詩人、李賀のことが話題に出た。私は彼のことを知らなかった。そこで翌日、すぐに図書館に行き、李賀の本を探して読んでみた。しかし、そのときは特別な感慨を抱かなかった。詩の内容が難解だったということもあったのだろう。この人は若くして死んだのだということと、「鬼才」というのはこの人の才能を表すために作られた言葉なのだということが印象に残ったくらいだった。

ただ、その李賀の詩の中にこんな一節があった。

長安有男児
二十心已朽

長安に男児あり
二十にして　心已《すで》に朽ちたり

この詩句は、ポール・ニザンの『アデン　アラビア』の冒頭の一行《ぼくは二十歳だった。それがひとの一生でいちばん美しい年齢だなどとだれにも言わせまい》と共鳴しあい、なんとなく記憶に残った。自分は「二十にして心すでに朽ち」てなどいなかったから、逆に憧《あこが》れのようなものを感じたのかもしれない。

当時二十六歳の私が長い旅に持っていこうとした漢詩集が杜甫《とほ》や李白ではなく李賀だったのは、ポール・ニザンに対する関心と同じく、自分に近い年齢で夭折《ようせつ》に近い死に方をした人への関心からだったように思える。

第三章　旅を生きる

香港、あるいは素のままの自分を異国に放つということ

このユーラシアへの旅には、いくつもの思いがけない幸運が訪れてくれたが、その最初にして最大のものは、第一歩が香港《ホンコン》だったということである。

それはやがて書くことになる紀行文にもあるとおり、本当にまったく訳のわからないまま、九龍《クーロン》にある連れ込み宿風のホテルに長期滞在することから始まった。

このホテルがあったのは、いまはもうアジアを旅行する人にとってはよく知られた存在になってしまったが、「重慶大厦」という名の雑居ビルの中だった。紀行文を書いた時点では、これをガイドブックとしてそのビルを探すような人が出てきたら困るなと思い、名前と場所をわざと曖昧《あいまい》にしておいた。曖昧にしておいたのは「重慶大厦」の名前や場所だけでなく、その中にあって私が泊まることになる宿の名前も微妙に変えておいた。英語名を「ゴールデン・パレス・ゲストハウス」、華字名を「金宮

招待所」としておいたが、本当は英語名を「ゴールデン・ゲストハウス」、華字名を「金屋招待所」というのだった。「金宮」より「金屋」の方がいかにもうらぶれた感じは出ていたのだが、もしそこを見つけて泊まろうとした人がトラブルにでも巻き込まれたら困るなとよけいな配慮をしたのだ。

香港は本当に毎日が祭りのように楽しかった。無数の人が狭いところに集まって押しくらまんじゅうをしているような熱気がこもっていた。その熱気に私もあおられ、昂揚《こうよう》した気分で日々を送ることができた。食堂や屋台の食べ物はおいしいし、なにより安い。わずか何分か乗るだけのフェリーが素晴らしいクルージングのように思えた。しかも、筆談によって、あるていど互いの気持が通じ合える。自分で旅の仕方を発見し、楽しむことができれば、無限の可能性のあるところだった。

のちになって理解することになるのだが、香港から東南アジアを経てインドに入っていくというのは、異国というものに順応していくのに理想的なルートだったかもしれない。気候とか水や食物といったものに徐々に慣れていく。湿気、暑さ、食べ物の辛さ……。だから、インドに入ったからと言って、生水で下痢をするようなこともなかったし、どこでもすぐにその土地の食べ物をおいしく食べることができた。

さらに、インドからパキスタン、アフガニスタンを抜けていけば、イラン、トルコと西に行くにしたがって少しずつ都会的になっていく。たとえば、トルコのイスタンブールに着いたとき、ああ、自分はついに西洋に足を踏み入れたのだなと思った。ところが、ヨーロッパから下ってきた人によると、イスタンブールに入ったとたん、ああ、これからは東洋なんだと思ったという。

これは、登山で言う「高度順化」と同じだったかもしれない。七千、八千メートルの険しい山を登ろうとするとき、登山家たちは四千、五千、六千メートルと少しずつ高い山を登って体を慣らしていく。そうしないと食欲不振や頭痛や嘔吐《おうと》といった高度障害に見舞われてしまうからだ。インドを七、八千メートル級の山にたとえるのが適当かどうかわからないが、もしいきなりそこに入っていたら私もある種の「高度障害」に悩まされていたかもしれない。

香港で旅の第一歩を踏み出したことは、「順化」だけでなく、その後の旅にとって決定的な意味を持ったと思われる。香港に滞在しているうちに私の旅のスタイルがほぼ決まることになったのだ。

たとえば「記録」である。

私はザックに大学ノートを入れていったが、それをどのように使うかはまったく考えていなかった。ところが、香港に着いた一日目にしてノートの書き方が決まったのだ。左ページにその日の行程と使った金の詳細を書く。反対の右ページに心覚え風の単語やメモや断章を書く。

夜には、それとは別に手紙も書いた。

最初は日本から持参したエアメール用の薄い便箋《びんせん》に書いていたが、やがて最も経済的なエアログラム、航空書簡を使うようになった。

だが、香港到着の第一日目は、いくら書いてもなかなか終わらず、第一信をようやく書き終えることができたのは、三日目の夜だった。もちろん、ずっと書きつづけていたわけではなく、街歩きから帰った夜に書き継いでいったのだが、それでも便箋の枚数にして二十枚にもなろうかという大長編になってしまった。

そして、たとえばその「街歩き」である。

私はガイドブックというものを持っていなかった。全行程を通してのガイドブックがなかったということもあるが、途中の国や街について記されているガイドブックも持っていかなかった。それにはザックが重くなるからという理由もなくはなかったが、ガイドブックに従って歩くというのが、なにかつまらないことのような気がしたからでもあった。

だから、香港の街についても、なにも知らないままほっつき歩いた。それが私に新鮮な驚きをもたらしてくれた。監督も主演俳優もストーリーも知らないまま映画を見て、その素晴らしさに驚いたようなものだ。

とりわけ、廟街《ミュウガイ》とその周辺のストリートは、いくら歩いても飽きなかった。だが、ちなみに、当時刊行されていたガイドブックで香港についての章を参照すると、廟街についてはこんな記述がされているのがわかる。

《この項は〝見所〟ではなく、もちろん各旅行社の観光コース中にも入っていないが、参考までに紹介しただけであり、旅行者の入るべきところではない。外人は一人も見かけない。広東語《カントン》しか通じない。もし滞在の長い人で、ちょっとのぞいてみたいと思うならば、かならず信頼のおけるしっかりしたガイドといっしょのこと。もちろん女性同伴や女性のみの見物はとんでもない》（ブルーガイド海外版『香港・マカオ・台湾』）

もし私がこのようなガイドブックを持ち、その「忠告」に従っていたら、香港での興奮の何分の一も味わえなかっただろう。

香港から先の街も、まったくガイドブックなしに、勝手気ままに歩くことになったが、それは私に常に新鮮な驚きを与えつづけてくれた。

そのときの経験から、私はこの旅以降もガイドブックを持っていかないようになった。ただし、取材の旅や家族と一緒の旅は別として、である。ガイドブックを持たない旅ができるのは、たっぷりと時間のある、つまりどんな失敗をしてもいいひとり旅のときに限られている。

確かに、ガイドブックを持たないことで訪れた国や街に対して新鮮に向かい合うことができる。しかし、私がガイドブックを持たない理由はそれだけでもないような気がする。どうして、自分はガイドブックを持つことを避けようとするのだろう……。

だが、最近になって、そのもうひとつの理由を言葉にして説明することができるようになった。

日本の世界的なクライマーに山野井《やまのい》泰史《やすし》という人がいる。その山野井氏はヒマラヤの高峰でアルパイン・スタイルの登山をするクライマーとして知られてきた。アルパイン・スタイルとは、できるだけ軽量化した装備で短期間に頂上を目指す登り方を意味する。それは、大人数のポーターや動物を使ってベースキャンプまで荷物を運び、さらに高所ポーターの助けを借りて前進キャンプを作って頂上を目指す、俗に「極地法」と呼ばれるものとは対極的な登り方である。しかも、山野井氏は、それをたったひとりでやることが多かった。

その山野井氏が、無線などの文明の利器を持ち込んで山の天気をはじめとする情報を得たりしたくない、ということを説明するときに、私にこう言ったのだ。

「できるだけ素のままの自分を山に放ちたいんです」

素のままの自分を山に放ちたい。なぜなら、その方が面白いからだ。すべてがわかり、完璧《かんぺき》に安全だとわかっているならクライミングなどしなくてもいい。わからない中で、自分の力を全開にして立ち向かうところに面白さがあるのだ。

その山野井氏の意見はよく理解できた。そして思ったのだ。私が未知の外国を旅行するときにほとんどガイドブックを持っていこうとしないのも、できるだけ素のままの自分を異国に放ちたいからなのだ、と。放たれた素のままの自分を、自由に動かしてみたい。実際はどこまで自由にふるまえるかわからないが、ぎりぎりまで何の助けも借りないで動かしてみたい。

もちろん、うまくいかないこともある。日本に帰ってきて、あんな苦労をしなくても、こうやればよかったのかとわかることも少なくない。しかし、だからといってあらかじめ知っていた方がいいとも思えない。知らないことによる悪戦苦闘によって、よりよく知ることができることもあるからだ。その土地を、そして自分自身を。

ソンクラー、あるいは旅で学ぶということ

旅をしていると、そうとは気づかないうちに学んでいることがある。宿の見つけ方や乗り物の乗り方といったものから、言葉の使い方や人への対応の仕方まで、知らないうちに身についていることがある。

たとえば、中国人の多く住むエリアでは「筆談」によって意思の疎通《そつう》がはかれるということは香港で学んだが、タイのバンコクからシンガポールに向けて南下していくうちに、たとえ相手が中国人でなくとも、やはりメモ帳とボールペンが有効だということを理解するようになっていった。

言葉に関して、最初に学んだことは、新しい国に入ったときは、とにかく一から十までの数字を覚えるべきだということだった。

旅人にとって最も大事なことは、宿に泊まったり、食事をしたり、乗り物に乗ったりするときの金のやり取りである。もちろん、実際に金をやり取りするときは、百の

単位や千の単位がわかっていなければ役に立たないのだが、とりあえず数字を口に出していれば金のことを言っているのだなということだけはわかってもらえる。すると、そこで、「筆談」が可能になってくるのだ。

私は、いつの頃からか、新しい国に入ると、暇そうな人を見つけては言葉を教えてもらうようになった。しかし、語学の才の乏しい私には、多くの単語を一度に覚えるのが難しい。そこで、しだいに、必要最小限の単語だけを教えてもらうようになった。

いくら
何
どこ
いつ
こんにちは
ありがとう
さようなら

この、二つのグループの七つの言葉さえ覚えていれば、まったく情報のない土地に放置されても、なんとか切り抜けられるということがわかってきたからだ。

あるいは、宿の見つけ方もいつの間にか身についたものと言えるかもしれない。

香港の経験が強烈だったせいか、東南アジアでは華僑《かきょう》が住むエリアに対してアレルギーを持たなくなっていた。宿も、かりにどんな安宿でも、中国人が経営しているかぎりは最低の清潔さが保たれていたし、食堂も、どんなみすぼらしい店構えでも、中国人が調理しているかぎりは火の通った安全な食べ物を提供してくれる。私は、やがて、どんなところに行っても、まずチャイナタウンを探すようになる。

一方、なるほど、いま自分はここで大事なことを学んだのだな、と自覚できるような学び方をすることもある。

私は、マレー半島を南下している途中、ソンクラーというリゾート地で日本の駐在員夫妻と知り合った。ホテルで偶然泊まり合わせたその日本人夫妻からは、夕食後のバーで話しながら、自分はまったく新しい考え方を学ばせてもらっているのだな、ということを強く意識させられることになった。

その夫妻はバンコクに赴任してからまだ一年にしかなっていないということだった

が、二人の口から交互に語られるバンコク事情、タイ事情は、初めて耳にする興味深いものばかりだった。

「タイではね、メイドが主人をテストするのよ」

夫人が言うのはこういうことだった。

雇われることになり、その家にやってきたメイドは、初めて用を言いつけられたとき、たとえば水を持ってきてちょうだいと言われたとき、ひそかにこの家の主人、つまり主婦はどのていどの人物なのか試そうとするのだという。

メイドは縁の欠けたコップに水を入れて持ってくる。だが、ここで主人は怒ってはいけない。なにしろ、これはメイドのテストなのだ。主人は怒らず、しかし決して見逃さず、やさしくコップの縁が欠けていることを指摘する。いいわ、いいわでは馬鹿にされるだけだからだ。すると、次にメイドは薄く汚れたコップに入れて持ってくる。そこでもやさしくチェックしてあげる。そうすると、ようやく、うちの奥様は象のような心の方だ、と言って尊敬してくれるのだという。

「私も、まったく同じようなやり方でテストされたわ」

「それで、どうなりました」

私が訊《たず》ねると、夫人は笑いながら答えた。

「どうやら、私も象になれました」

夫妻の話は、タイ人の時間の観念や食事の習慣、性についての意識や金銭についての感覚といったものから、タイが抱えている政治経済上のさまざまな問題、とりわけ近隣諸国との間に持ち上がっている新たな緊張関係といったものまで、尽きることがなかった。

「この国に来て、生まれて初めて賄賂《わいろ》というのを贈ったわ」

夫人がいたずらっぽく言った。

彼女がバンコクに着いて間もないころ、タクシーに乗っていて、小さな交通事故に巻き込まれてしまった。すぐに警官が飛んできて、全員警察署に連れていくという。急ぎの用事を抱えていた彼女が渋る様子を見せると、それならと交換条件を出してきた。四十バーツよこせ、というのだ。仕方なく渡すと、別に誰ひとり連行するでもなく、事故の検証もせずに引き上げてしまった。初めから連れていくつもりなどなかったのだ。

「それからも、何かというと賄賂を要求されるんだけど、つい面倒になって渡してしまうのね。贈収賄に関しては、すっかり不感症になってしまったわ」

当時、バンコクでは、少なくとも交通事故は金でカタがつくと言われていたらしい。

子供を轢《ひ》いて金を払ったら、子沢山の親に逆に感謝された。そんな信じられないような話まであるくらいだという。もちろん、その場合は警察官に応分の金を払わなくてはならないともいう。

しかし、とご主人が言った。

「バンコクにいる日本人は、タイの警官に金はつき物だし、タイの人々も金でどうにでもなると思っている。確かにそういうところもないわけではないけれど、それがすべてではない。どこにだって例外はあるし、その例外に自分が見舞われることだってあるわけだしね」

バンコクに住むある商社員の妻が自家用車を運転していて子供を撥《は》ねてしまった。打ちどころが悪く子供は死んでしまったが、その女性はいつも通りすべてを金で解決しようとした。ところが、その子の親は、タイの政界の実力者だった。女性の態度に激怒した両親は、金など一バーツもいらない、体で償ってくれと、示談を拒否して裁判に持ち込んでしまった。その結果、彼女は実刑を食らい、刑務所に入れられてしまった、というのだ。

「かわいそうなのはそれからなのね」

夫人が話を引き取った。

「旦那《だんな》様の会社の上司が、その実力者の怒りを鎮《しず》めるために、奥さんを離縁させてしまったの」

「まさか」

「本当のことだわ。信じられないかもしれませんけどね。奥さんは服役中にほとんど一方的に別れさせられて、精神的におかしくなってしまったということだわ」

夫妻は、夜遅くまで、さまざまな話をしてくれた。

しかし、私が彼らに「学んだ」のは、そうしたタイやバンコクに関する喜劇的だったり、悲劇的だったりする「知見」ではなかった。

こうした話のあとで、ご主人が嘆息するように言ったのだ。

「しかし、外国というのはわからないですね」

そして、さらにこう続けた。

「ほんとうにわかっているのは、わからないということだけかもしれないな。知らなければ知らないんでいいんだよね。自分が知らないことを知っているから、必要なら一から調べようとするに違いない。でも、中途半端に知っていると、それにとらわれてとんでもない結論を出してしまいかねないんだ。どんなに長くその国にいても、自分にはよくわからないと思っている人の方が、結局は誤らない」

なるほど、と私は思った。彼が商社員なのか大使館員なのかはわからなかったが、外国にいる日本人の中にこのような人がいるということに、私は救われるような思いがした。旅の早い時期に彼らと出会ったことで、その後の私の旅は大きな影響を受けることになった。

わかっていることは、わからないということだけ。

私はその言葉を旅しているあいだ常に頭の片隅に置いていたような気がする。そして、その言葉は、異国というものに対してだけでなく、物事のすべてに対して応用できる考え方なのではないかという気もした。

いずれにしても、そのとき耳にした「わかっていることは、わからないということだけ」という言葉は、私がこのユーラシアの旅で学ぶことのできた最も大事な考え方のひとつとなったのだった。

どこかで売り払うつもりのカメラが最後まで旅の道連れになった

旅にはニコンのニコマートというカメラを持っていった。友人のカメラマンである内藤利朗《としろう》君が、ほとんどただ同然の値段で仲間から譲り受けてきてくれたのだ。

しかし、私がそれを持っていったのは、必ずしも通過するだろう国々の風景を撮るためではなかった。どちらかといえば、旅の軍資金が乏しくなったときにどこかで売り払うための、一種の「保険」という色合いが濃かった。

当時、インドからトルコにかけての西南アジアでは日本のカメラが日本で買った値段より高く売れると言われており、とりわけニコンに対する信仰は厚いとされていた。実際、カルカッタのブラックマーケットでは、ニコンの最新のカタログが用意されており、私などよりはるかに詳しく日本での販売の実勢価格を知っていた。

内藤君はカメラを調達してくれただけでなく、私が出発する際には、餞別《せんべつ》にとコダックのリバーサル・フィルムを五十本もプレゼントしてくれた。しかし、旅に出た私は、あまり熱心に写真を撮ろうとしなかった。

いまになると、どうして写真を撮るということについてそんなに無関心だったのだろう、と不思議になるくらいである。

私と写真、あるいは、私とカメラ、ということについて考えてみると、初めての関わりは中学三年のときにさかのぼる。

その頃、私の家には戦前に作られたような古いカメラが一台あった。蓋《ふた》を開けるとそこが蛇腹《じゃばら》になっていてレンズが出てくるという仕掛けのもので、メーカーはたしかミノルタだったと思う。

中学三年の秋、修学旅行に行くことになって、私もやはりカメラを持っていくことにした。修学旅行のコースは、東京の公立中学の多くがそうだったように、京都から奈良をまわるというありきたりのものだった。印象に残っていることはあまりないが、バスで比叡山《ひえいざん》を登って根本中堂《こんぽんちゅうどう》まで行ったことはよく覚えている。その帰りの坂道で見た京都の夕景が美しかったことと、根本中堂というネーミングが面白く感じられたことで印象に残ったのだろうと思う。

その修学旅行から帰ってくると、学校で修学旅行中に撮影した写真のコンテストが催されることになった。私が持っていったフィルムは、確か二十枚撮りが二本か三本だったので、撮った枚数はわずかなものだった。しかし、現像して焼き付けられたモノクロの写真を見ているうちに、応募してみようかなという気になってきた。コンテストは二つの部門に分かれていて、ひとつは一点写真、もうひとつは六点までの組写真となっていた。私が撮った写真はどれもたいしたものではなくて、一点だけではなんということもない平凡なものにすぎない。しかし、何点かを組み合わせれば、少しはましなものになるのではないか。そこで、いろいろと組み合わせ方を考えた。いま思えば、のちに『天涯』という写真集を出すときにしていたこととまったく同じようなことを中学三年のときにもしていたのだ。そして、『天涯』のときと同じく、それをすることはとても楽しいことだった。

とにかく、すでに名刺大に焼いてあった写真の中から六点を選び出すことにした。そのときの私の考え方はこうだったと思う。撮った写真の多くは友人たちとの記念写真だからそれは除外する。そうするとあとは寺社や仏像を撮ったものしか残らない。それなら端的に「仏閣」というタイトルをつけてしまおう。寺社を三点、仏像を三点。しかも、それを横長のものを三点、縦長のものを三点で組み合わせたらどうか。シンプルといえばこんなにシンプルな組写真もないが、そのようにして選んだものを応募用のキャビネ判に焼いてもらうため近くの写真屋に持っていった。すると、最初は面倒臭そうだった写真屋の親父が、学校内のコンテストに出すという私の説明を聞くと、急にやる気を出してくれた。約束の日に受け取りにいくと、その親父は思いもかけないほど美しく仕上げてくれただけでなく、代金をただにしてくれた。

コンテストの成績は生徒たちの人気投票で決まることになっていた。学校の廊下に半月くらい展示し、そのあとで投票するというのだ。結果は、意外にも、私の写真が組写真の部の一等になった。中学校のコンテストだというのに、賞品まで用意されていて、私は緑色の表紙に金色の字で「ＰＨＯＴＯＳ」と記されたアルバムを貰《もら》うことになった。そのアルバムは中学時代の写真を貼《は》るものとして使われ、いまでも家に残っている。

写真コンテストに応募した作品は六点だったが、その緑色のアルバムには五点しか残っていない。なくなってしまったのは「東大寺四天王像」を撮った一枚だった。それは私もとりわけ気に入っていた一枚だったが、他のクラスの男子生徒にぜひ譲ってくれと頼まれ、五十円だか百円だかで売ってしまったのだ。いま思えば、なんともったいないことをしたのだろうと思うが、そのときは「儲《もう》かった！」と喜んで譲ったのだろう。

普通だと、こんなふうに校内のコンテストとはいえ一等になったり、賞品を貰ったり、ましてやその作品を友達に売ってくれとまで言われたりすれば、一気に写真に興味を持つようになるのかもしれない。本当に写真に縁のある少年なら、そこからグッと撮ることにのめりこんでいき、将来はカメラマンになろうなどと思ったりするのかもしれない。しかし、私はそうはならなかった。

もちろん、当時はいまほど写真家という職業に関する情報がなかったということもあるが、かりに充分に情報や知識があったとしても私が心を動かしたとは思えない。私にとっては、依然として、夢は職業的なスポーツ選手になることだったからだ。

それともうひとつ、私が写真に関心を向けていかなかった理由がある。私は確かに一等を取ったが、実はその上に特等というのがあった。一点写真の一等と組写真の一等から特等が選ばれることになっており、一点写真の一等の方が特等に選ばれた。これだけは先生たちによる審査だった。その特等になった一点写真は男子生徒の旅先でのユーモラスな瞬間を捉《とら》えたもので、あまりたいした作品とは思えなかったが、私に不満はなかった。なぜなら、私のものは自分の作品ではないと感じていたからだ。

コンテストに応募した作品は、近くの写真屋の親父が気合を入れて焼いてくれたものだった。この親父は、総髪、今風に言えばロン毛で、瘦身《そうしん》のいかにも往年の文学青年がそのまま齢《とし》をとったというような人だった。胸を患《わずら》って小さな店舗を借りて写真屋をやっているというようなことを聞いたこともあった。実際、ときどき小さな咳《せき》をすることがあって、やはりと思ったりもした。

その親父が、私が焼いてくれと頼むと、いろいろ検討したあげく、トリミングをするが構わないかと訊《たず》ねてきた。私はトリミングという言葉をそこで初めて耳にすることになるのだが、説明を受けて、もちろんよろしくお願いしますということになった。数日後、焼き上がった作品を見て、これが自分の写真だろうかと思った。ほんの数センチ、写真によっては数ミリほどトリミングすることでまったく雰囲気が変わっていたからだ。六枚のうちトリミングしていないのは「東大寺四天王像」と「法隆寺金堂」の写真だけで、それ以外は、「金閣寺」も「根本中堂」もみな微妙にトリミングしてある。だから、一等になったときも、これは自分の写真の力ではなく、あの親父の力だと考えてしまったところがあったのだ。そして、事実、その通りだったと思う。

私の写真体験、カメラ体験はそこでストップしてしまった。高校のときの修学旅行には、カメラさえ持っていかなかったくらいなのだ。いや、高校の修学旅行だけではなく、大学に入ってからは長期の休みになると日本中いろいろな土地を旅したが、一度としてカメラを持っていったことがなかった。いまになるとどうしてだったのか、当時の気持を正確に思い出すことはできないが、旅先の土地を写真に撮るなどということは考えもしなかった。ユースホステルや安宿に泊まったりしながら、ただただ各地を転々とするだけで満足だったのだろう。それと、フィルムを買ったり現像したりするのはお金の無駄だという気持もあったかもしれない。そんな金があるならもう一泊、あと二泊した方がいいと思ったに違いない。

そのため、高校から大学時代にかけての旅先の写真というのはまったく残っていない。あれだけ日本の各地を旅したのに、写真が一枚も残っていないということに、むしろ深い不思議さを感じたりもする。

大学を卒業して、私はすぐにフリーランスのライターとして活動するようになった。ライターになるにあたって、誰かの弟子になったり、特別な教育を受けたわけではないので、まったく自分の好きなように取材をし、書いていくことしかできなかった。これが一度でも新聞社や出版社に勤めた経験があったりすれば、取材に際しては少なくともコンパクトカメラくらいは携帯することといったような知識を教え込まれるのだろうが、私は「どうしても」という少数の例外を除いてカメラを持っていったことはなかった。「どうしても」というのは、たとえばある裁判記録が必要だという場合、裁判所ではコピーを取らせてくれないので、カメラですべてを複写するとか、ある家の室内の様子をメモがわりに克明に撮っておかなければならないとか、そういった場合だった。

ライターになってからの取材の旅に、人物を撮るとか風景を撮るとかいう目的でカメラを持っていったことはない。それには友人の内藤君の存在が大きかったかもしれない。内藤君は友人というより幼なじみといった方がいいような存在で、その彼が日大芸術学部の写真学科を卒業すると、秋山庄太郎のスタジオに入ってアシスタントになっていた。取材に写真が必要なときは、内藤君に頼むと暇を見つけてどこにでも来てくれ、文句も言わずに撮ってくれる。内藤君が忙しいと、内藤君の友人の渡辺順二君が応援に駆けつけてくれる。だから、私がカメラを持つ必要はなかったのだ。

ユーラシアへの長い旅にニコマートを持って出発したのはいいのだが、せっかくのニコマートもあまり活躍しなかった。こちらに何の目的意識もなかったせいで、ほとんどが旅先で知り合った人との記念写真を撮るだけになってしまった。

とりわけシルクロードの国々では、バスで乗り合わせた人たちにさまざまなものを勧められる。果物、おかし、そしてタバコ。私はタバコを吸わないが、果物やおかしはありがたくいただくことになる。しかし、私にはお返しするものがない。そこで、つい記念写真を撮らせてもらうことになる。みんなそれだけでとても喜んでくれるからだ。

そうした記念写真を除くと、ユーラシアの旅を撮ったといえるような写真は数えるほどしか残っていない。どんなところもせいぜい数枚のスナップが残されているだけだ。

しかし、例外が一カ所ある。

それはインドのブッダガヤである。正確には、ブッダガヤからさらに車で奥に入ったサマンバヤというところである。

私にとってインドでのもっとも忘れがたい体験のひとつは、そのサマンバヤで、アシュラムと呼ばれる共同体で暮らした短い日々のことだ。そこは、瞑想《めいそう》やヨガなどを修行するためのアシュラムではなく、アウト・カーストの子供たちに農業技術を習得させ教育を施すための「農場兼学校兼寄宿舎」というようなところだった。四、五歳から十四、五歳までの少年少女が、将来それぞれの村で有用な人物になれるようにと、海外の篤志家《とくしか》の援助を受けながら学んでいく。しかし、趣旨はそうであっても、それが最下層の人々にとっての一種の口減らしの施設になっていることに違いはなかった。

農業技術の指導という面においても、勉学の量という面においても、満足な状態からはほど遠かったが、子供たちにとっては三食たべられるということだけで充分に幸せなことであるようだった。

私がアシュラムまで連れていってもらった小型トラックには、これから新しく入るという二人の幼女が一緒に乗っていた。姉妹でもなく、知り合いですらなかったというその幼女たちは、互いにもう頼る者は他にいないと悟りでもしたかのように、固く身を寄せ合っていた。どちらも孤児ではなく家族がいるということだったが、見送る者は誰もいなかった。アシュラムに入ってしまえば何年かは会えないかもしれないというのに。

幼女たちはアシュラムに着くと、服を脱がされ、髪を短く刈られ、こざっぱりとした格好になった。しかし、幼女たちは一日が過ぎてもほとんど一語も発しようとせず、食事の時間を除けば、ただ無表情に眼を見開いているばかりだった。子供たちの遊びに加わらないのはもちろんのこと、外界に対してほとんど無関心であるらしいことが痛ましかった。それはまるで、もうすでに四、五歳にしてこの世の地獄はすべて見てしまったとでもいうような姿でもあった。

アシュラムに滞在させてもらっているあいだ、私は熱心に写真を撮りつづけた。その二人の幼女のことが気にならなかったからだ。子供たちと一緒に遊んでいても、つい二人の幼女を眼で探してしまう。そして、見つけるとついカメラを向けてしまうのだ。

そのついでというわけではなかったが、彼女たちだけでなく、それ以外の少年少女も撮ったし、彼らがアシュラムのまわりを散歩するときは、一緒についていって外の村の様子をカメラに収めたりした。結局、そのサマンバヤ・アシュラムで、私は持っていったフィルムの半分を使い切ることになる。

何日かして、幼女が初めて何かに関心を向けているところを見かけた。それは年長の世話係の少女がひとりの女の子の髪を編んでやっている姿だった。幼女のひとりがそのそばに立っていると、やがてもうひとりの幼女もやってきて、じっと見つめはじめた。世話係の少女がそれに気づき、笑いながら話しかけると、幼女たちの顔に微《かす》かながら表情らしいものが浮かんだ。髪が伸びたら編んであげるわね。あるいは、そんなことを言われたのかもしれなかった。

サマンバヤ・アシュラムでの写真群は、二人の幼女が外界に心を開く決定的な瞬間を捉えられたことを含めて、私にとってカメラという面倒な荷物を持っていった甲斐《かい》があると思わせてくれるものになった。

幸か不幸か、カメラが売れる地域では所持金がなくならず、残り少なくなったときには売ってもたいした金にならない地域に入ってしまったため、ついに我がニコマートは売り払われることなく、私と一緒にふたたび日本に戻ってくることになった。

私はその旅で一生分の手紙を書いてしまったのだろう

旅先から実に多くの手紙を書いた。そのため、私は日本に帰ってから、よくこんな冗談を言うことになる。

「あの旅で、ぼくは一生分の手紙を書いてしまったから、こんなに筆無精になってしまったんだよ」

とにかく暇だったということもあるが、それよりもっと切実なものがあったような気がする。

そのときの私は、たぶん誰かに話しかけたかったのだろうと思う。日記のような、自分自身と対話するような形式の文章ではなく、直接的に語りかける要素のある文章が書きたかった。

旅先では、よほどのことがないかぎり、話す相手がいない。せいぜいサービス業の人を相手に互いに片言の英語で必要なことを話すくらいだ。

手紙を書いた相手はさまざまだが、主として四人の知人に書いていた。日々の体験を伝えたくて書いていたということもある。しかし、それだけでなく、単に誰かに語りかけることで、内に向かおうとする精神の、そのバランスを必死に取ろうとしていたということもあるような気がするのだ。

一方、それとは別に、純然たる楽しみのために書いていた手紙もある。それはTBSのアナウンサーで、「パックインミュージック」というラジオの深夜放送のパーソナリティーをつとめていた小島一慶《いっけい》氏に宛《あ》てた手紙だった。

私のノンフィクション・ライターとしてのホームグラウンドがTBSの「調査情報」だったということはこれまでにも述べたが、TBSとはそれ以外にもさまざまなかたちで関わりを持つことになった。

たとえば植村良己と知り合う契機を作ってくれた田中良紹《よしつぐ》氏である。田中氏は、ラジオからテレビに移り、モーニングショーのディレクターになっていた。司会者に黒田征太郎と飯田蝶子という奇抜な取り合わせの二人を選び、毎週土曜日の朝に放送していた。

あるとき、金のない私にアルバイトをさせてくれようとした田中氏は、何を勘違いしたかそのモーニングショーで、本のコーナーの司会をやらせようとした。そして、実際、著者インタヴューなるものをすることになってしまったのだ。

第一回目は、当時『サンダカン八番娼館』が話題になっていた山崎朋子《ともこ》さんと、『余白の春』を出したばかりの瀬戸内晴美さんだった。

いま思えば、それがどちらもノンフィクションだということを除けば、一緒にインタヴューしなくてはならない理由はないというほど掛け離れた本であり、二人だった。どんなにベテランのインタヴュアーでも難しかったろう。それが私のような絵に描いたような「青二才」がやろうというのが無理だった。

上がってしまった私は、最初からつまずいてしまった。

「今日ご紹介するのは山崎朋子さんの『サンダカン八番娼館』と瀬戸内晴美さんの……」

そこで詰まってしまったのだ。頭が真っ白になってしまった私は瀬戸内さんの本のタイトルが出てこなくなってしまった。

すると、横で、瀬戸内さんがさりげなくこう言ってくれたのだ。

「沢木さん、『余白の春』よ」

それはこそこそと耳打ちするのでもなく、無理に小さな声で言うのでもなく、あまりにも自然だったため、視聴者には予定のやり取りだと思われたほどだったという。瀬戸内さんはまだ出家されていなかったが、その頃から私にとってはすでに「貴いお方」になっていたのである。

いずれにしても、大量の冷や汗をかいたのは間違いなかった。その時間がどのように終わったかの記憶がまったくないところを見ると、最後まで上がりっぱなしだったのだろう。

しかし、田中氏は、それ以後もなにかと理由をつけてはアルバイトの出演をさせてくれ、私には法外と思われるギャラを切りつづけてくれた。

旅から帰った私は、テレビにはいっさい出ないという方針を長く貫くことになるが、その理由の一端はあのときの経験にありそうな気もする。

それはともかく、TBSには、田中氏のいなくなったラジオにも知り合いのディレクターがいたし、アナウンサーにも顔見知りができていた。そのひとりが小島さんだった。小島さんの「パックインミュージック」には、何度か呼んでもらって話をすることがあった。もしかしたら、『若き実力者たち』が出版されたときも、宣伝のためにと呼んでくれたかもしれない。

その小島さんの「パックインミュージック」には、深夜放送の常としていろいろなコーナーがあり、リスナーからの手紙を募集していた。私もそこで読み上げられる滑《こっ》稽《けい》な内容の手紙を聞いては、いつか自分も書いてみたいと思っていた。旅に出た私は、いよいよそのチャンスがめぐってきたと勇み立ち、まず、「気ちがいクラブ」というコーナーに応募することにした。

ところが、旅から帰ってきてみると、そのコーナーはなくなっていた。いや、コーナーそのものはあったのだが、名前が変わっていたのだ。「気ちがい」という言葉が放送禁止用語になってしまったため、「MAD・MADクラブ」ということになっていた。

私が日本に帰り、久しぶりに小島さんに会いにいくと、大切に保存しておいてくれた手紙を返してくれたが、「気ちがいクラブ」と書かれていたところに線が引かれ、「MAD・MADクラブ」と上書きされていた。

そこを指し示しながら、小島さんは申し訳なさそうに言ったものだった。

「ごめんね、手紙を書き換えてしまって」

もちろん、そんなことはまったく気にならなかった。私の手紙が読まれたらしいことの方がはるかに嬉《うれ》しかったからだ。

その手紙は、こんな内容のものだった。

小島一慶様

お元気でしょうか。

インドを出発したら、すぐにもお便りするつもりでしたが、目的地に着くと、バスに揺られてきた疲労でバタンと横になりたくなって、ペンを持つどころではなかったのです。しかも、その目的地が面白かったりすると、歩きまわれるだけ歩きまわることになり、さらにバタンとなってしまいます。

いま、この手紙を書いているのはアフガニスタンのカンダハルという町です。アフガニスタンは比較的ゆっくり旅をしていたこともあって、ようやくペンを持つ気力が生まれました。いや、実のところを言えば、それだけが理由ではありません。できるなら、一慶さんの番組の「ＭＡＤ・ＭＡＤクラブ」にぜひとも入れてほしいものがあるのです。

それはパキスタンのバスです。バス。バスにクラブの会員となる資格があるのかどうかは知りませんが、そのクレイジーぶりはそうとうのものなのです。パキスタンを離れたいまも、思い出すと笑いたくなったり、寒気を覚えたりするほどです。名づけるならば、パキスタンのバスはすべてクレイジー・エクスプレスと言ってよいかもしれません。

汚いこと、現地の人と一緒にギューギュー詰めにされること、走るとガタガタであること、窓が開かなかったり閉まらなかったりすること、急停車すると座席が前に動いてしまうこと、途中で乗るときは飛び乗らなくてはならないこと、料金がベラボウに安いこと、そんなことは驚くほどのことではありません。日本を除けば、アジアのバスは大方そんなところです。

パキスタンのバスの驚くべきことは、以上のようなバスであるにもかかわらず、とてつもないスピードを出すことにあるのです。

とにかくぶっ飛ばす。死ぬほどぶっ飛ばすのであります。もともとオンボロの車が狂ったように飛ばすのですから、乗客の体は常に機銃掃射を浴びたように、ダッダッダッと震えていることになります。窓を開けようものなら、眼を開いてなどいられません。ホコリではなく、風圧で、です。信じられないかもしれませんが、ベンツやトヨタの乗用車なんぞビュンビュン追い越してしまう。トラックなんかメじゃないよ、という感じです。しかし、しかしです。この追い越しがクレイジーなのです。相手が乗用車やトラックならいいのです。その相手が同じバスだったらどうなるか。これはもうクレイジー同士の真剣勝負になっちまうんであります。少しでも前のバスが自分より劣ると見るや、もうやかましく警笛を鳴らしつづけます。ちょっと左に避《よ》けろというのです。もちろん、避けるはずはありません。そこで、後ろから急追したバスは対向車線に大きくはみ出して追い抜こうとします。ところが、敵もさるもの、並んだところで猛然とスパートし、絶対に抜かせまいとするのです。もともと広い道路ではありません。二台の大型バスが並べば、もういっぱいなのです。そこに対向車が来たらどうなるか。乗用車なら大きく右に避けてくれます。しかし、しかしであります。このクレイジーなバス同士のマッチ・レースの真っ最中に、向こうからバスが来たらどうなるか。まさにMADの三乗になるのであります。

前の敵は譲らず、こっちは追い抜こうとし、向こうから来るバスも断固としてスピードを緩めたり、避けたりしない。その断固たる意思表示として、ライトを点滅させる。俺は避けないぞ！という感じです。ああ、ぶつかる！と何度思ったかしれません。それが不思議とぶつからないのです。ああっ！と眼をつぶって、開けてみると、きっとどうにかなっているのです。まったく神業としかいいようがありません。三台が三台とも、何事もなかったかのように勝手に走っている。これがクレイジーでなくて何がクレイジー、これがMADでなくてなにがMADでしょう。

これでよく事故が起きないものだと感心していると、これがやはり事故は起きるのです。

ラホールからラワール・ピンディーという町に行くときのことでした。ラワール・ピンディーは、パキスタンの首都のイスラマバードと近接していて、土地の人はピンディーとのみ呼びます。イスラマバードが人工的に作られた政治都市なのに対して、ピンディーはごたごたゴミゴミとした自然発生的な人間の都市です。昼間イスラマバードに勤めに出る人々も、夜にはピンディーに帰ってくる、そういう町です。

このピンディー行きのバスがすさまじかった。運転手は、何が気に入らないのか、ブンブンぶっ飛ばす。小さな停車場ではタンガと呼ばれる荷馬車に接触、タンガの親父と大ゲンカになる。このときは、乗客の見事な髭《ひげ》の老人が仲裁に入り、ふたこと、みこと話すとケリがつきましたが、それ以後も危ないことばかり続きます。もちろん、例のクレイジー・レースも何十回となくやります。夜です。闇《やみ》は深くなる一方です。それなのにこのバスの運転手ときたら、シャカリキにクレイジー・レースを仕掛けまくるのです。ああっ、と息を呑《の》み、おおっ、と息を吐き、これでもう俺はロンドンまでたどり着くことなく、哀れパキスタンの土となるのだろうかと、なかば諦《あきら》めていました。

と、闇の彼方にうっすらと光の粒のようなものが見えるではありませんか。まるで湖のほとりの町のような灯りの帯が見えるのです。もちろん、このバスと灯りの帯のあいだには、湖ではなく砂漠のような荒れ地があるだけのはずです。しかし、そのときは、もう恐怖から解き放たれるかもしれないという安心感も手伝って、その光の粒がとてつもなく美しく、幻想的に見えました。そうです。それがピンディーの町の灯でした。

ホッ。安心した、まさにそのときでした。すごい衝撃を受けました。また例のレースをやり、前のバスに並び、追い抜き、前に回り込んだ直後のことです。ガーンという音とともに白い乗用車が対向車線に飛び出していったのがわかりました。追い抜いたバスの前に白い乗用車がいて、それにぶつかったのでしょう。ところが、このバスはそのまま全速で進みつづけます。ちっとも停まる気配がない。乗客もぶつかった衝撃でひとりくらいはムチウチ症になったかもしれないのに、誰も文句を言わない。

あまりのことに呆然《ぼうぜん》としていると、運転手は一キロくらい走ってからいくらか速度を緩め、振り返って「どんなもんじゃろ」というようなことを言う。すると、最後部に坐っているオッサンが「なんだかわからんが、後ろから車は来るぞな。動けるんじゃ平気じゃろ」てなことを言う。きっと動いているのはぶつかった車じゃないと思うけど、バス中の乗客は、なにか深くうなずいて、「チャロ、チャロ」と口々に言います。「さあ行こう、行っちまおう」というのです。

ああ、なんというクレイジーさ！　なんというクレイジーぶり！

したがってこのクレイジー・エクスプレスの運転手、乗客、並びにバスを「MAD・MADクラブ」の海外特別会員にしていただければ幸いです。

ただ、パキスタンのバスの名誉のために言い添えておけば、これは長距離バスのことであり、田舎のバスには荷馬車よりゆっくり走るバスもあります。

もうひとつ。ぼくがパキスタンにいたのは断食月の後半でした。朝の六時から夜の六時まで、イスラム教徒であるパキスタンの人々のほとんどは何も口に入れられないのです。とくべつ気が立っていたとしても不思議ではありません。

では、またお便りします。

アフガニスタン　カンダハルにて

沢木耕太郎

この手紙は、やがて書くことになる紀行文の中で、ほとんどそのままに近いかたちで使われることになった。

乗合バスの窓から見える風景は自分を映す鏡となる

この旅において、自分が自分に課したささやかなルールというようなものがあったとしたら、デリーからロンドンまで乗合バスで行くということしかなかっただろう。

それでそのルールがどうなったかと言えば、ギリシャからイタリアに渡るときと、フランスからイギリスに渡るときのフェリーを除いて、ほぼ守り切ることができたと言えるかもしれない。ほぼ、というのは、アフガニスタンとイランの国境からテヘランまでは、普通の乗合バスではなく行く先々で乗客を集めていくヒッピーバスに乗ったからだ。私が乗ったのは出発点のカトマンズからアムステルダムまで行くというバスだった。一般の乗合バスではなかったが、広義の乗合バスといえないこともないので、ほぼ、ということになる。

乗った距離は約二万キロ、地球を半周ほどしたことになる。そんなに乗っても平気なくらい私はバスが好きだったろうか。

考えてみても、さほど好きだったとは思えない。

小学校から中学校にかけての七、八年は、東京の池上にある自宅から大森にある映画館まで毎週のように通っていた。その映画館に知り合いがいたおかげで、二本立ての封切り映画を無料で見ることができたのだ。往復の乗り物は路線バスだった。そのため、小学校の絵日記というと、必ず銀色の車体のバスを描き、それに乗って映画館に行ったということを書いていた。しかし、だからといって、バスが好きだったわけではなく、他のテーマを探すのが面倒なだけだったのだ。

高校時代は通学にバスを使ったが、大学に入ってからはほとんどバスに乗ったことがなかった。時間が不正確だということもあったが、なによりバスの中に流れているあの「かったるい空気」が耐えられなかった。

その私が、万という単位のキロ数の距離をバスに乗って旅することになった。自分でも驚くが、だからといって決して我慢をしていたわけではない。乗っているうちにバスが好きになってしまったのだ。

どのバスもオンボロだった。それでいて恐ろしいほどスピードを出す。隣に坐った人は、あれこれ食べ物を勧めてくれる。それにタバコだ。実際、何十人にタバコを勧められたことだろう。成人の男たちは一種のあいさつがわりにタバコを勧める。私はタバコを吸わないが、この旅のときばかりは吸わないことを後悔した。素直に一本もらえば、そこでぐっと互いの気持が近づき、通い合うものが生まれてくるように思えたからだ。逆に、タバコをねだられることもよくあったが、持っていないのでそれに応じられない。

乗り合わせた客に過剰なほど親切にされることも少なくなかったが、最初から最後まで煩《わずら》わされつづけるというほどのことはなかった。窓側の席だったりすれば、周囲の人との対応に疲れたら、顔をガラスにつけるようにして外を眺めていれば、ひとりになることができる。これが列車の四人掛けの席では、なかなかひとりになることはできない。とりわけ長い時間となれば、膝《ひざ》を突き合わせている相手となんらかのコミュニケーションを取らざるをえなくなる。疲れているときはこれが苦痛になる。

もうひとつ、バスの旅のいいところは風景が近いということだった。駅が街と離れている鉄道と違い、バスは街の真ん中を通っていくことが多い。建物や街路といったものだけでなく、その建物に住む人や街路を行き交う人をはじめとして、市場で買い物をする女性や公園で遊ぶ子供たちまで間近に見ることができる。あらゆる意味で風景が近いのだ。

バスでは、乗客の荷物を、屋根にのせるか車体の両脇《りょうわき》にある収納部分に入れるかする。自分の荷物が屋根にのせられれば、いくらロープでしっかり縛ってあるといっても、ガタガタ道の振動で落ちないだろうかと心配になり、収納部分に入れられれば、先に降りた人に間違えて持っていかれてしまわないだろうか、悪い奴に盗まれたりしないだろうかと不安になる。

しかし、幸いなことに、私のザックは最後まで無事だった。ただ一度だけ災難に遭ったのはトルコだった。イランとの国境から乗ったバスがエルズルムに着いたとき、脇の収納部分から引き出された私のバックパックが異臭を放っていた。見ると、どこからか漏れたガソリンがバックパックのポケットの部分に染《し》み込んでいたのだ。それからは、日本に帰るまで、バックパックのガソリン臭に悩まされつづけることになった。

ひとりバスに乗り、窓から外の風景を見ていると、さまざまな思いが脈絡なく浮かんでは消えていく。そのひとつの思いに深く入っていくと、やがて外の風景が鏡になり、自分自身を眺めているような気分になってくる。

バスの窓だけではない。私たちは、旅の途中で、さまざまな窓からさまざまな風景を眼にする。それは飛行機の窓からであったり、汽車の窓からであったり、ホテルの窓からであったりするが、間違いなくその向こうにはひとつの風景が広がっている。しかし、旅を続けていると、ぼんやり眼をやった風景の中に、不意に私たちの内部の風景が見えてくることがある。そのとき、それが自身を眺める窓、自身を眺める「旅の窓」になっているのだ。ひとり旅では、常にその「旅の窓」と向かい合うことになる。

フレドリック・ブラウンが『シカゴ・ブルース』というミステリー小説の中でこんなことを書いている。

「おれがいおうとしたのはそれだよ、坊や。窓の外を見たり、なにかほかのものを見るとき、自分がなにを見てるかわかるかい？　自分自身を見てるんだ。ものごとが、美しいとか、ロマンチックだとか、印象的とかに見えるのは、自分自身の中に、美しさや、ロマンスや、感激があるときにかぎるのだ。目で見てるのは、じつは自分の頭の中を見ているのだ」

青田勝訳

ひとり旅の道連れは自分自身である。周囲に広がる美しい風景に感動してもその思いを語り合う相手がいない。それは寂しいことには違いないが、吐き出されない思いは深く沈潜し、忘れがたいものになっていく。

もちろん、せめて夕食のときくらいは誰かと話しながら食べたいと思う。しかし、相手のいないひとり旅では、黙って食べ物を口に運ばなくてはならない。寂しいと思う。だが、その寂しさを強く意識しながらひとりで食事をするとき、そのひとりの時間が濃いものになっていく。

このユーラシアの旅では、高級なレストランでその土地の名物を食べるという経済的な余裕はなかったので、いつもその土地の人が食べる安直なものをその土地の人と一緒に食べていた。だから逆にさほど寂しさは感じなかった。

しかし、バスに乗ってぼんやりと外の風景を眺めるたびに、ひとりであることを強く意識させられることになった。バスでは、「旅の窓」が最初から最後まで一緒についてくるからだ。

ただひとつ、バスの旅に関する後悔がある。

バスは昼間の時間に乗ることが多かった。朝に乗って、夕方に降りる。基本的にはその繰り返しだった。しかし、何回か夜行のバスを使ってしまったことがある。そのときは、夜行バスの便利さを優先したのだが、日本に帰ってきてそれを後悔することになった。

私はデリーからロンドンまで地続きのルートを取った。二カ所は海だったが、それも空を飛んだわけではなく、地面の延長としての海を行ったのだ。

そのおかげで、ユーラシアの風景がひとつづきのものとなった。ところが、夜行のバスに乗ってしまったところだけは、一本の線として繫《つな》がらず途切れてしまっている。それだけではない。そのときには考えもしなかったが、もしかしたら、そこはもう二度と行くことのできないところだったかもしれないのだ。その大切な風景を私は見逃してしまった。

このユーラシアの旅以降、私の旅に乗合バスはつきものになった。やがて行くことになるアメリカでも、北アフリカでも、中国でも、乗合バスに乗ってさまざまな土地を旅することになった。そして、その旅においては、夜間には決してバスに乗らないことというのがひとつの決めごとになった。

ルート選択に迷ったのはテヘランとマルセーユとマラガの三カ所

デリーからロンドンまで、というのは決まっていた。その基軸が揺らぐことはほとんどなかった。

一度だけ、リスボンから横浜に向かう貨客船があるというのを知り、そしてその客室に安い料金で乗れるというのを知り、このままロンドンには行かず日本に帰ってしまおうかと思ったことがある。だが、そのとき以外は、最後はロンドンと思っていた。

しかし、その「デリーからロンドンまで」というのも確固としたルートがあったわけではなく、西へ西へと向かっていけばいずれロンドンに着くだろうというくらいのものだった。

だから、何カ所かで、次はどう行こうか迷うことになった。中でも、かなり迷ったところが三カ所ある。

最初に迷ったのは、イランのテヘランだった。このまま真っすぐトルコに向かうか、それともペルシャ湾に出て、アラビア半島に足を踏み入れるかで迷ったのだ。

アラビアという地名の響きには、その内実をよく知らない私のような者の心をも揺り動かす力があった。

それはまず、少年時代にデヴィッド・リーンが監督した『アラビアのロレンス』を見たことから始まっていた。

高校一年のころだろうか、たぶん日比谷の有楽座の大画面で見たのではないかと思う。そのときの私に、ピーター・オトゥールが演じていたT・E・ロレンスの屈辱や屈折が充分に理解できていたとは思えない。ただ、イギリスに帰ったロレンスがオートバイの事故で死ぬシーンから始めてオートバイのシーンで終わる作り方に子供ながら強く感心したのと、砂漠のロレンスがアラブの兵士たちの先頭に立って「アカバへ！」と号令を発するところに胸を躍らせたことはよく覚えている。とにかく、『アラビアのロレンス』に出てくる砂漠は美しかった。

もっとも、私が実際にユーラシアの旅に出るころには、『アラビアのロレンス』がその舞台となったアラビア半島の砂漠で撮影されたのではないらしい、ということは知識として頭に入っていた。だから、アラビア半島に行ったからといってあのような砂漠が見られるわけではないということもわかっていた。それでも、「アラビア」という地名に依然として強い吸引力があったのは、大学時代に熱病のようにひろまった「ポール・ニザン熱」に、私もいくらか冒されていたからかもしれなかった。

その熱は、ポール・ニザンによってというより『アデン　アラビア』という一冊の本によって、いや、もっと厳密に言えば『アデン　アラビア』という本の中身より『アデン　アラビア』というタイトルと冒頭の一行によって引き起こされたものだった。

つまらないことを記憶しているが、その『アデン　アラビア』という本は、私が大学生のときに友人の妹さんを通して買ったものだった。彼女は大手の書籍取次会社に勤めていて、どうしても新刊本が欲しいときは、彼女に頼むと何割引きかで買ってもらうことができたのだ。そうやって、何冊もの本を安く買ってもらったものだった。いま手元にある『アデン　アラビア』の奥付のところには、その取次会社の緑色の印が押されている。

しかし、紀行文としての『アデン　アラビア』は、必ずしもすぐれた作品ではないような気がする。

《ぼくは二十歳だった。それがひとの一生でいちばん美しい年齢だなどとだれにも言

わせまい》

このたった一行によって、『アデン　アラビア』という本は、ある世代にとっての「不滅の本」になってしまった。この一行は喧嘩《けんか》をするときの啖呵《たんか》に近いものがあり、読んだ人がその勢いに呑《の》まれ、熱病のようにひたすらこの言葉を口にすることになってしまったのだ。しかし、『アデン　アラビア』の中には、その一行以外に何が書かれていたのだろうと考えてみると、まさに砂漠のように茫々《ぼうぼう》たるものしか残っておらず、愕然《がくぜん》としてしまう。

ちなみにこの一行に続く文章はこうだ。

一歩足を踏みはずせば、いっさいが若者をだめにしてしまうのだ。恋愛も思想も家族を失うことも、大人たちの仲間に入ることも。世の中でおのれがどんな役割を果しているのか知るのは辛《つら》いことだ。

篠田浩一郎訳

この本には、旅のアフォリズムは豊富に含まれているが、アデンという街が実体的に描かれることはほとんどない。フランスから船に乗り、アラビア半島にあるアデンに行き、またフランスに帰ってくるというだけで、ひたすら抽象的な思索が述べられていく。「あなたが行ったアデンはどういう街だったのですか」という読者の素朴な疑問にはほとんど答えていない。せっかくいろいろな人との関わりがあったはずなのに、そのやりとりが具体的に書かれることもない。著者の具体的な行動が見えてこないため、いくら風景の描写があっても読み手の胸に届いてこない。

ポール・ニザンは高等学校でJ・P・サルトルと同級生だったらしい。戦前に共産党に入党して精力的に活動をした後、党に裏切られるという形で抹殺《まっさつ》され忘れ去られた。ところが、ある時期から再評価の機運が高まる。そういう彼の人生の、死後もういちど甦《よみがえ》るという運命も、冒頭の一行のヒロイックな響きをさらに増すことになったのだと思える。

ポール・ニザンは優等生だったから、たとえばアルベール・カミュが持っていたある種の官能性のようなものがあまりなかった。そのためせっかくアデンまで行きながらその街が持つ官能性に「感応」することができていない。そのことの方が共産党との関係よりもっと悲劇的だったような気がしてならない。

ともあれ、当時の私にとって、アラビアはそのアデンという地名と対になって、いつか行ってみたい土地のひとつでありつづけていたのだ。

シルクロードを西に向かっていた私は、夜になると広げた地図を眺めながら、明日は何をしよう、これからどこに行こうと考えるのが常だった。その私にとって、自分が辿《たど》っているルートのすぐ近くにあるアラビア半島は、気になってならないところだった。

そこで、たまたまテヘランを訪れていた磯崎新・宮脇愛子夫妻に会っておいしい食事を御馳走《ごちそう》になると、思い切って南へ下り、ペルシャ湾岸からアラビア半島に渡ることにした。旅の途中ですれ違った白人のヒッピーのひとりから、アバダンまで行けば、そこにあるクウェート領事館でビザが下りるかもしれないという話を聞いたのだ。

しかし、実際にシラーズまで行って確かめると、やはりビザは簡単に下りないということがわかり、イスファハンを経由して、またテヘランに戻ることになってしまった。

次に迷ったのは、フランスのマルセーユに着いたときだった。さて、これからどの方角に向かおうかと迷ったのだ。

マルセーユから北に向かえばパリまでは一直線だった。ということは、ロンドンまでもすぐということであり、旅の終わりは近いということになる。

一方、マルセーユの港から船に乗れば、アフリカ大陸に渡ることができる。アフリカ大陸というより、アルジェリアに行くことができる。

友人の植村良己は、「東京キッドブラザース」の仲間たちとアルジェリアのアルジェに行き、そこのカスバに感動したらしい。しかし、私が行きたかったのはアルジェではなく、オランだった。そこは、カミュの唯一《ゆいいつ》の長編と言ってよい『ペスト』の舞台となったところだった。

私は大学時代の四年間カミュを読みつづけてきた。カミュを読むことで十代から二十代にかけての困難な時代を乗り切ってきたと言ってもいいくらいだった。フランス語が読めないので翻訳に頼らざるを得なかったが、手に入れられるものはすべて集め、繰り返し読んでいた。その結果、経済学部であるにもかかわらず、卒業論文もカミュに関することを書くことで許してもらうということになってしまったくらいだった。

カミュの作品の中には、繰り返し繰り返し大事なイメージとして海が出てくる。その海は、オランの海ではないのか？　私はいつかオランの海を見たいと思っていた。だが、マルセーユでどのルートを取ろうか迷った私は、結局パリにも向かわずアルジェリアにも渡らなかった。西に、イベリア半島に向かってさらに西にルートを取ってしまったからだ。

私はこのユーラシアの旅で西南アジアを経由してヨーロッパを目指した。しかし、そのとき、私の頭にぼんやりとあったヨーロッパは、実はイギリスでもなく、フランスでもなく、なぜかイベリア半島だった。

それには檀一雄の存在が大きかったと思う。

当時の私は、のちに檀一雄やその夫人であるヨソ子さんのことを書くことになるなどとは考えもしていなかった。だが、檀一雄がわずかな金でポルトガルの海沿いの町で王侯貴族のような生活をしていたという話は頭の奥にしまい込まれていた。いずれヨーロッパに着くころには金も乏しくなっているだろう。そのときは、とりあえずポルトガルに行こう……。

檀一雄のポルトガルでの生活ぶりは、たとえば『風浪の旅』という本からもうかがい知ることができた。

本来、日本の文学者の伝統には漂泊という存在の仕方があった。しかし、明治以降の日本では種田《たねだ》山頭火《さんとうか》や尾崎放哉《ほうさい》といった少数の俳人を除いて、漂泊を生きる文学者はほとんどいなくなってしまった。実際、物書きで目的地の定まらない旅を続けて紀行文を残した人はほとんど見当たらない。戦前の金子光晴がヨーロッパへの当てない旅をしたが、それが本格的な文学に結びつくのは戦後も一九七〇年代に入ってからである。

そのわずかな例外が檀一雄なのかもしれなかった。檀一雄は、目的もなく目的地もない旅を、生涯つづけてきた文学者だと言うことができる。代表作の『リツ子　その愛・その死』も、『火宅の人』も、旅が重要な意味を持っている。それは、檀一雄が、小説においても、実人生においても、旅を生きていたからだと思われる。

檀一雄の『風浪の旅』は、タイトルに記されている通り旅のエッセイを集めたもので、装幀《そうてい》が洒落《しゃれ》ていた。私が、旅に出る直前であるにもかかわらず買って読もうとしたのも、その装幀に惹《ひ》かれたというところが大きかったと思う。

旅人としての檀一雄の魅力、あるいはその『風浪の旅』という本に収められた文章の魅力は、無限に広がる豊かさにある。それは、あらゆるところに行ってさまざまな風景や人々と出会ってきたというところからくる豊かさだ。そういえば中国ではこうだった、そういえばドイツではああだったと、いくつもの情景や挿話《そうわ》が記憶の棚から引き出されてくる。その引き出し方がとても自由で軽やかなのだ。そして、それは、まさに彼が世界中を旅するときのスタイルでもあったのだろう。

世界の、あちこちの町をうろつく時に、その町の喰べ物を喰べ、その町の飲み物を飲むんでなかったら、旅の意味が薄れるだろう。

それには、先《ま》ず真っ先に、野菜だの、果物だの、魚介類だの、肉だの、日用の品々だの、ゴタゴタと売ってる朝市や昼市（？）などの在り場所を見つけて、そこを、たんねんにほっつき歩くことだ。

すると、そのあたりの地域に、どんな野菜があり、どんな果物があり、どんな魚介類があり、どんな獣肉が売買されているかがよくわかる筈《はず》だ。

その市の中で、よくうれた果物や、煮込んだモツや、塩ユガキした貝でもあれば、すぐに買って、行儀悪く立ち喰いしてみるのがいいだろうし、そういう人だかりした市のあたりに、きまって安い、その土地らしい喰べ物を喰べさせ、地酒を飲ませてくれる食堂があるもので、そこへノコノコと入りこんでいくのがよい。

異国の街をうろつくときは、まず最初に市場に行き、いろいろなものを食べ、呑んでみることだ、と檀一雄は書く。現代では当たり前のことであったとしても、当時、このようなやり方で異国を旅し書いていた人はほとんどいなかった。

やがてユーラシアの旅から帰った私は、『風浪の旅』を読み直して驚くことになる。

自分が『風浪の旅』の檀一雄とほとんど同じような旅の仕方をしていたからだ。私はこの本を通して、檀流の旅のスタイルを意識しないまま学んでいたらしいことを知った。

私がパリにも向かわず、アルジェリアにも渡らず、さらに西へと「進路」を取ったのは、檀一雄が少ない金で王侯貴族のような生活ができたというポルトガルに、かつてマルコ・ポーロが黄金の国としてのジパングに憧《あこが》れたように、憧れたのだと思う。

そして私は、ポルトガルのサグレスからパリに向かう途中、もう一度だけルートに迷うことになる。スペインのマラガで、モロッコに行こうかどうしようか迷ったのだ。モロッコにはマラケシュがあった。マラケシュは、カトマンズ、ゴア、カブールと並んで、ヒッピーの「聖地」のひとつと言われていた。シルクロードですれ違う欧米のヒッピーたちから、マラケシュの素晴らしさを聞かされつづけていた。私もそのマラケシュに一種の「聖地巡礼」をしてみたいと望んだのだ。

しかし、このときは、迷った末にパリに向かうルートを取ることになった。そのため、マラケシュは、私にとっていつか行かなくてはならない土地として残ることになった。

冬のヨーロッパは凍るように冷たかった

時折、こんなことを訊《たず》ねられることがある。

ロンドンに着いてからどうしたのですか。あるいは、アイスランドには行かなかったんですか、と。

確かに、やがて書くことになる紀行文の最後の章の、最後のところにはこう書いてある。

《通りに旅行代理店が何軒か並んでいた。私は安いチケットを売っていそうな一軒に入り、船のチケットはあるかと訊ねてみた。応対してくれた女性は、そんなことは当然というように頷《うなず》いて、訊ねてきた。

「どこ？」

「………」

「どこに行きたいの？」

どこがいいだろう。そういえば、パリの屋根裏部屋の隣にいた若者がアイスランドの話をしていたことがあった。アイスランドに行けば魚の運搬の仕事があるというのだ。仕事はきついが、それは信じられないくらい高額なアルバイト料を払ってくれるということだった。しばらくアイスランドで働いてみたらどうだろう。

「そう、アイスランドは？」

私が言うと、相手の女性もにっこり笑って言った。

「もちろん、あるわ」

結論から言えば、アイスランドには行かなかった。

ロンドンからドーバーに出て、フェリーでオランダのロッテルダムに渡った。それはヒッピーのもうひとつの聖地とも言うべきアムステルダムに行くためだった。

しかし、そのアムステルダムでは、シルクロードですれちがうヨーロッパからの旅行者の多くが口にしていた、「冬のヨーロッパは寒いぞ」という言葉を思い知らされることになった。私はそれまでとは違い、ゴッホの美術館に通う以外は、ホテルで「猫のように」丸くなっていた。

それにはこういう事情もあったのかもしれない。

異国には旅が向こうから迫ってくる土地とこちらから向かっていかなければならない土地とがある。

たとえば、インドにおける旅人は街に着くといきなり無数の人々に取り囲まれる。タクシーの運転手、宿の客引き、物売り、物乞《ものご》い、そして正体不明の人物。彼らに、さまざまな思惑を秘めた言葉を浴びせかけられる。旅人は、騙《だま》されまいと身構えてもいいし、騙されるのを覚悟で身を委《ゆだ》ねてもいい。いずれにしても、そこから巻き込まれるようにして旅は始まっていく。

だが、これがヨーロッパだと旅の様相はまったく異なるものとなる。こちらから働きかけないかぎり旅は動かない。旅は巻き込まれるものではなく、自分が動かすもの、自分が創《つく》り出さなくてはならないものとしてあるのだ。

たとえば、ヨーロッパにおいては乗合バスに乗るということがごく単純なことが難しくなるということがあった。バスに乗ろうにも目的の都市に向かうバスがどこから出ているかさっぱりわからないのだ。誰かにバスの乗り場を訊ねると、決まって「列車で行け」と勧められてしまう。「それでもバスに乗りたい」と頑張ると、まったくいいかげんな場所を教えられたりする。とりわけそれはイタリアにおいてははなはだしかった。しつこくバスの乗り場を訊ねつづけると、最後には怒られてしまったことさえある。

ようやく乗ることのできたバスも近距離の細切《こまぎ》れ路線であることが多く、座席に坐《すわ》れたかと思うともう終点だったりする。少し長い路線でも停留所の数が異常に多く、数えていると半日のうちに百数十の停留所を通過していた、などということもあった。バスの運転手もシルクロードの長距離バスの運転手ほど親切ではなく、休憩時間が過ぎると客が戻っていようがいまいがおかまいなく出発してしまう。私もいちど銀行で両替していて危うく置いていかれそうになったことがあった。そのようなことが起こるたびに、シルクロードのオンボロ・バスを妙に懐《なつ》かしく思い出したりしたものだった。

街を歩いても、もうシルクロードのように声を掛けられることもない。頻繁に声を掛けられていたときは鬱陶《うっとう》しいと感じることもないわけではなかったが、食事の際に注文するときくらいしか人と言葉を交わさないことも珍しくないヨーロッパでは、それもまた懐かしく思い出されるものになる。

しかも、そのヨーロッパで、季節は冬なのだ。

それまでも、イスタンブールのバザールでは厚手のセーターを買っていたし、アテネでも擦り切れたジーンズのかわりにコーデュロイのズボンを買っていた。イタリアからイベリア半島に抜けて行くあいだはまだよかったが、フランスからイギリスに渡る頃にはローマで画家の未亡人にもらったハーフコートでは寒さをしのげないようになっていた。私はロンドンの蚤《のみ》の市で、イギリスの兵士が着古したようなネイビーブルーのロングコートを買わなければならなかった。

そして、旅が動かなくなるということに関して言えば、ヨーロッパの日曜日ほど途方に暮れるものはなかった。まさに「魔の日曜日」だった。

日曜日になると、官庁や銀行や商店はむろんのこと、スーパーマーケットやちょっとした総菜屋のたぐいまで閉まってしまう。仕方なく、高いのを承知でレストランに出向かなくてはならない。それがいやなら、前日までに食料を買い置きしておけばいいようなものだが、冷えて乾いた食事をひとりとる味気なさと比べれば少々の出費は我慢したくなる。

もちろん、冬の日曜日の「魔」性は、ただ単にそうした具体的なものばかりではなかった。昼間はまだいいにしても、夜になるとぱたりと人通りが絶えてしまう。そんな暗い冷えきった舗道を歩いていると、異国にひとりあることの寂しさに胸が痛くなったりする。

冬のヨーロッパは、間違いなく、自分で旅を創り出すのに向いていない土地であり季節だった。

中でも、アムステルダムはとりわけ寒かった。
その寒さの中で、TBSラジオの「パックインミュージック」に宛《あ》てて手紙を書いたのも、ただただ、寒さに打ち負かされないようにと自らを奮い立たせるためだったように思う。

小島一慶様

言葉というのは困ったものです。外国に行けばなんとかなると思い、事実なんとかなってきたのですが、しゃべれない、その人と同じ言葉で同じように意味を伝えられないということは、かなり絶望的なことではあります。

いま、アムステルダムにいます。カブールホテルという、運河沿いの妙に寂しい安宿にいるのです。ユースホステルもあり、その方がほんの少しだけ安いのですが、このうらぶれた安宿が、なぜかアムステルダムで泊まるにはふさわしいと思い、泊まりつづけているのです。
ぼくの部屋には、三十くらいのベッドがあるのですが、シーズンオフとて、ほんの数人しか泊まっていません。初めてこの部屋に入ったとき、「ああ、ここもか……」と妙に重い衝撃を受けたのを覚えています。窓際の二つのベッドには、まだ昼間だというのに、毛布にくるまり、ぼんやりと外の風景を眺めている若者がいたのです。運河に船がゆっくりと動いていっても、少しも視線を動かさなかったところをみると、あるいは何も見ていなかったのかも知れません。

ひとりは、時折、力のない咳《せき》をします。

——もう、やめればいいのに。

彼らも疲れているのです、旅に疲れているのです。だけど、どうしても旅に終止符を打てないでいる。

これと同じ情景をインドのデリーで見たことがあります。朝、眼を覚ますと、隣で寝ているフランスの若者が、天井を見上げていました。起きているのに、眼を覚ましているのに、起き上がろうとせず、天井を、見るともなく見ている。その光景は異様なものでした。おそらく、その異様さを本当に理解してもらうのは難しいのですが、少なくとも、そのときぼくがある恐怖に襲われたのは事実です。彼はぼくの鏡でもあったのですから。もうインドを出発しよう。そう思って、アムリトサルに出発したのは、その日の夜でした。それから何十日が過ぎたでしょうか。また、見てしまったのです。それは、このアムステルダムの冬が暗く冷たいだけに、よけい重くぼくに迫ってきたのです。

日本に帰ろう。何が何でも日本に帰ろう。そう思ったのです。

夕方、食事に行こうとして、どこか安いレストランはないか、同宿のひとりに訊《き》くと、それまでぼんやり外を見ていたひとりが自分も行くから案内してあげるというのです。それともうひとり、肌の色の浅黒い若者を加え、三人で安食堂に行きました。

ひとりは西ドイツの田舎町からの旅人、もう家を出てから四年になるといいます。しばらくアメリカで働いていたことがあるとかで、英語がとても上手です。もうひとりはアメリカのテキサス州の出身者でした。たぶん黒人との混血なのでしょうが、もちろんそんなことは話題にも出てきません。しかし、そのテキサスの若者は実に繊細な神経を持っている好漢でした。スペインの大学に留学中だがしばらくヨーロッパを旅行しているということでした。やがて、話題はぼくのことになり、旅のコースについてのものになります。インドからバスを乗り継いでやってきたというと、どうしてバスばかり使うのだということになる。

こういうときなのです、言葉がしゃべれないということの絶望感を味わうのは。鉄道の方が早いし、楽だし、安いじゃないか、とドイツ人が言います。そうそう、どうしてだい、とテキサス野郎が口をそろえます。

「バスが楽じゃないのは、身をもって体験したさ。でも、誰もが使うからって、ぼくが使わなければならない理由はないだろう？」

そして、

「それにさ、この世の中に、ひとりくらいそんな馬鹿《ばか》な奴《やつ》がいたっていいと思ってさ」

そう軽く言ってみたいのですが、ぼくの語学力ではそんなわけにはいきません。

「ソシテ、コノ世界ニ、ワタシ思ウアルヨ、ソシテ、ヨイデス、コノヨウナ、バカデスモン、ワタシ……」

これでは、早く新宿二丁目にでも行って雇ってもらわなくてはなりません。まったく、彼ら二人に日本人を代表して軽蔑《けいべつ》されているようなものです。もちろん、二人はそんなことは気ぶりにも出しません。できとるのです敵は。

食事が終わると、それぞれてんでに好きなことを始めます。たとえばドイツ人はハシシを吸い、テキサス野郎は店のテレビに視線をやり、ぼくはノートをつけはじめます。ところが、そこから状況は一転しはじめました。

ぼくが書く文字を見た彼らが日本語について質問してきたのです。ぼくが漢字が表音文字であると同時に表意文字でもあることを説明すると、それをすぐに理解したドイツ人が、ならば自分の名前を日本語でも書けるのではないかと言い出した。そんなことはおやすいこと、外国語を日本語に置き換えるなんてことは、大昔から日本人が得意としてきたことなのだ、などといいかげんなことを言うと、彼が自分の名前をノートに書きました。

《John Richards》

ドイツ人のはずなのにジョン・リチャーズという英語風の名前であるのに驚きましたが、もしかしたらヨハン・リヒャルトなどというドイツ名を勝手に英語風に変えていたのかもしれません。

それはともかく、まあ、これくらいなら軽いね、とぼくはリチャーズを漢字に直しました。

《利知吾頭》

どういう意味だと訊ねるので、答えました。

"Good knowledge in my head."

それを聞くと、彼は大喜びをします。しかし、あまり喜ばすわけにはいきません。次はジョンです。ジョンはドイツ語では当然のことながらヨハンとなるはずです。

《世反》

また意味を訊ねます。だから、こう答えました。

“Anti world”

つまり、あなたの頭の中にあるその知識も世の中の役に立つものではないということなのだ、と。

すると、ジョンことヨハンは、日本人というのはなんとポエティックなんだと大喜びします。まさに一発大逆転、大いに彼らの尊敬を勝ち取ることができました。しかし、正直に言えば、本質的なことを話し合えないという寂しさはどうしようもありません。

三人でホテルに帰ると、しばらくして不意に風がうなり、気がつくと窓の外には雪が降りはじめています。暗い街の暗い夜。こんなとき、ふと熱い思いが込み上げてきて、誰かに話しかけたくなってきます。自分の母国語で心おきなく……。

これが最後の手紙になるかもしれません。
では。

オランダ　アムステルダムにて

沢木耕太郎

これを書いたのは間違いなく自分を奮い立たせようとしたためであったが、安宿のベッドの上でボールペンを走らせていると、さらに暗く沈んだ気分になるのをどうしようもなかった。

この手紙にあるとおり、それ以後、小島さんに手紙を書くことはなかった。小島さんだけでなく、誰にも手紙を書くことはなかった。冷たいヨーロッパに、心まで凍りついてしまったのかもしれなかった。

オルリー空港で私はほとんどギャンブルをしていた

しばらく寒く冷たいアムステルダムに滞在したあと、ドイツのデュッセルドルフ、ケルン、アーヘン、そしてベルギーのブリュッセルを経てパリに戻ってきた。パリではカルチェラタンの最も安いホテルに泊まっていたが、そろそろ本当に金が尽きかけてきた。

そこで本格的に日本までの安いチケットを探しはじめた。

当時は、日本でも格安航空券専門の旅行代理店などなかったように、パリにもなかったと思う。しかし、パリに数軒ある日本食レストランに置いてある日本人向け情報紙の片隅には、留学生や駐在員の「家具売りたし」といった欄の横に、日本までのチケットを格安で販売するという欄があったりした。一度、ロンドンに行く前に電話で訊《たず》ねたところ、最も安いものでは百二十ドルで日本への片道切符があるという。

パリに戻り、何軒目かにまたそこへ電話すると、百二十ドルのものはすでに売れており、百二十五ドルのものならあるという。その五ドルの差は有効期限の長さの違いだという。百二十ドルのチケットはあと二週間で有効期限が切れるものだったが、百二十五ドルのこのチケットはまだ一カ月の余裕があるという。

私は電話で教えられたオフィスに行くことにした。そこは、あまり観光客が行かないような地下鉄駅の、アパートの一室だった。

部屋に入ると、デスクと電話はあったが、事務所というより学生の下宿という気配が濃厚に漂っていた。そこにいた若い男性は、いかにも留学生として来ているうちに、いつの間にかこの仕事にかかりきりになってしまったというようなアマチュアっぽさと、微妙に崩れかけたしたたかさを併せ持っていた。

そのモグリ代理店で最も安い百二十五ドルのチケットというのは、やはりロシア、当時のソ連の航空会社であるアエロフロートのもので、パリからモスクワ経由で東京に向かうことになっていた。

チケットを確かめると、一年の有効期間はまだ残りが一カ月近くあったが、すでに前の持ち主の名前が書き込まれている。フランスに留学するため東京―パリの往復切符でやって来たが、一年が過ぎても帰れなくなってしまったか、あるいは単純に金がなくなってしまったのか、とにかくそれを売りに出すことにしたらしい。航空チケットというものは、正規の料金で買っていても、払い戻しは買った地点でしかできないからだ。売りに出されたチケットは、鉄道などでヨーロッパに入った金のない旅行者が買う。いまでは信じられないことかもしれないが、当時はそんなチケットでも航空会社は飛行機に乗せてくれたのだ。

しかし、私がそこで勧められたのは、チケットに名前が書き込まれているだけでなく、その名前の前に「ミス」という文字があるものだった。さすがに女性のチケットで乗ることなどできそうにないと思えた。

ところが、そのモグリ代理店の若い男性は、平然と「大丈夫」と言う。

当時、パリには、新しい空港としてシャルル・ド・ゴール空港ができたばかりだったが、アエロフロートはオルリー空港を使っていた。彼によれば、オルリー空港で、アエロフロートなら、他人名義のチケットでも大丈夫なのだという。そして、万一乗れなかったら代金はそっくり払い戻すという。私が最初に電話で聞いた百二十ドルのチケットというのも女名義だったが、それを買った男性もここに戻ってこなかった。だから、乗れたのだという。

私は悩んだ末、その百二十五ドルのチケットを買うことにした。ただし、もしだめだったらその値段で引き取ってくれますね、と何度も念を押した。

だが、そのチケットが抱えている問題はそれだけではなかった。アエロフロートは安売りの切符を乱発していたため、予約が取れないほど混んでいる。かりに取れたとしても、私の名前で予約したらいいのか、そのチケットの名義人の名前で予約したらいいのかわからない。そこで、ドサクサに紛れて乗るべく、予約なしのままオルリー空港へ行くことにした。

当日、金のない私は、リムジンバスではなく市営の安い路線バスに乗ってオルリー空港に向かった。そのバスの中で、私の心配は尽きなかった。他人名義のチケットなどで本当に乗れるのだろうか。出国のカウンターではパスポートと搭乗券を一緒に見せるのではないか。そこで名前が違っているのがわかったら一巻の終わりなのではないのか。そもそも、アエロフロートは私を搭乗させてくれるのだろうか……。

空港に着き、アエロフロートのカウンターに行くと、中に入ってくれという。すべては搭乗口で管理しているというのだ。しかし、まず、第一の関門は通過したことになる。私は次にビクビクしながらパスポート・コントロールのカウンターの前の列に並んだ。普通、搭乗券がなければそこは通過させないと思うのだが、オルリー空港は違っていた。パスポートしかチェックせず、問題がなければ出国のスタンプを押してくれる。私のパスポートにもポンと押してくれた。あの闇《やみ》ブローカーの言うとおり、第二の関門もこれで通過できたことになる。私はもうほとんど乗れることになったかのように喜んだ。ここまで来ているのだ、アエロフロートも乗せないわけにはいかないだろう。

しかし、それは甘かった。これなら大丈夫と喜び勇んでアエロフロートの飛行機が横づけされているゲートに急いだ。長い通路を歩いてゲートに着くと、そこにアエロフロートの本当のチェックイン・カウンターがあり、そこで座席の管理をしていることがわかった。外のカウンターはまったく意味のないものだったのだ。

外のカウンターでは乗れそうなことを言っていたが、そのチェックイン・カウンターの前にいるオネエさんたちは、ひどく無情なことを言う。今日は本当の満席だから、予約の取れてない人はまず無理だと思う。それにたとえキャンセルが出てもあなたの前にも空席待ちの人がいるのでたぶん届かないだろう……。無理だろうと言われても、届かないだろうと言われても、もう出国のスタンプは押してもらっているのだ。こちらとしてはもう次などありはしない。必死に喰い下がったが、どうしようもないと冷たく言われ、ガックリしていた。しかし、可能性はほとんどないが、あるいは空席が出るかもしれないから待ってみるがいいと言うので、なかば諦《あきら》めつつカウンターの傍の椅子《いす》に腰を掛けた。腰を掛けると、ああ、俺は、これでついに日本に帰ることはできないのか、哀れパリの土くれとなって果てるのか……などと馬鹿なことが頭をよぎったりもした。

予約のある人は搭乗券をもらってどんどん飛行機に乗り込んでいく。私は心の中で、予約のある奴はもう来るな、と念じていた。ひとりでも少なければ、それだけ乗れる確率が高くなる。来るな、来るなと念じながら、ぼんやり通路の方を眺めていると、日本人らしい若い女性が二人やって来た。こっちへ来るな、こっちへ来るな、と思っているのに、どんどんこちらに近づいてくる。何気なく顔を見ると、ひとりは驚くほど整った顔立ちの少女だった。

——まるで日本人形のようだ……。

そのとき、久し振りに日本の女の子を見たような気がした。もちろん、そんなはずはない。パリでも、日本の女の子はいろいろなところで見ていたはずなのだが、なぜか久し振りのような気がしたのだ。

女の子は黄色のオーバーを着ていたが、その胸のあたりに手のひらくらいの大きさの泥がついていた。どうしてなのか理由はわからなかったが、黄色のオーバーについているその泥が鮮やかに私の眼に入ってきた。

そのとき、まったく脈絡なしに、ふと、その女の子がいじらしくなってきた。この子は、きっと田舎から都会に出てきて、美容室かなにかで働き、何年分かの給料を貯《た》め、安いアエロフロートのチケットを買って、ようやく憧《あこが》れのパリに来ることができたのだろう。

その女の子の後には、もうひとり同じ齢恰好《としかっこう》の少女がいて、この子も色が白くて美しい顔立ちをしていた。さらに、その背後に中年の男性がいて、彼がアエロフロートのカウンターで例のオネエさんたちと話すべく近づいていった。しかし、うまく話が通じないらしくゴタゴタしている。もしかしたら、この人は美容室の従業員の引率の人で、言葉がわからないのかもしれない。近くには他に誰も通訳をしてあげられそうな人はいない。困るだろうと思い、椅子から立ち上がってアエロフロートのオネエさんに事情を訊《き》くと、あの人たちは予約が入っていないのでウェイティングしてもらうより仕方ないのだが、よく理解できないらしい、という。そこで、少しおせっかいとは思ったが、ちょっと離れたところにいた三人に近寄って、どうやら出発間際《まぎわ》まで待つより仕方ないようですよ、と事情を説明してあげた。男性は、予約してあったはずだとか、明日から仕事だから困るとか言っていたが、私には関係ないことなので、また自分の椅子に坐って、ぼんやりしていた。ぼんやりしながら、女の子たちのことをちらちらと盗み見し、日本の女の子というのはいかにも清潔そうで綺麗《きれい》なものだな、などと思ったりしていた。

そのあいだにも、客はどんどん搭乗していく。こっちはそれをハラハラしながら見守るだけしかできない。どうなることかと心配していたが、一方では、俺が駄目なら、あの子たちも乗れないということになる、あの子たちと同じパリにとどまるなら、まあいいか、などと馬鹿ばかしいことを考えてもいた。

いよいよ出発時刻ということになって、アエロフロートのオネエさんたちが空席待ちの人の名前をひとりひとり呼びはじめた。しかし、その声がだんだん間遠になっていき、あとひとりだけ、もうひとりは大丈夫、というようにカウンターのオネエさんたちがみんなで協議しつつ名前を呼んでいく。もう駄目かな、もう搭乗口は閉められてしまうかな、危ういぞという頃になって、ついに私の名が呼ばれた。正確には、私のチケットに記載されている名前が呼ばれたのだ。カウンターに行くと、チケットの名前は無視し、私の名前で搭乗券を作ってくれた。喜び勇んで搭乗口に入っていこうとすると、例の女の子三人組も一緒に私のあとをついてきて、オネエさんたちに制止されている。私はいったん搭乗口から飛行機に入りかけたが、三人が途方に暮れているようなので、引き返した。そしてオネエさんたちにどうしたのかと訊くと、最後の一席はあの人が手に入れてしまったので、あなたたちは今日はもう乗ることはできないと言ってるのだが、と肩をすくめる。そこで、私は彼女の言っていることを三人に伝え、残念だけど今日は乗れないから、次のフライトを待つより仕方ないようだと告げた。

三人は私の話に真剣に耳を傾けていたが、そう伝えるとずいぶんガッカリしたような表情になった。ああ、かわいそうに、明日か明後日には美容室の営業が始まってしまうんだろうな、などと思いながら、じゃあ、と挨拶《あいさつ》して搭乗口に向かい、飛行機に乗り込もうとして、あれっ、と思った。

あれっ、もしかしたら、あの子……。

立ち止まって、振り向いて、もう一度、その黄色いオーバーの女の子を見ると、やはり、間違いなく、歌手の藤圭子だった。

私はとにかくその飛行機に乗れることになった。一席の余裕もないギューギュー詰めで、トイレに行くのにも大騒ぎという状況だった。それでも機内食には安物のキャビアが出て、これまた安物のワインでそれを食べながら、さっきはどうして藤圭子のことを最後まで気がつかなかったのだろう、と考えた。あまりにも実物が清潔そうだったからだろうか。しかし、私は彼女が歌ういくつかの歌が気に入っていたから、たった一年テレビを見ていないくらいのことでわからなくなってしまったのが不思議だった。

ロシアの雪原の上を飛びながら、彼女の黄色いオーバーについていた泥の汚れを思い浮かべているうちに、ああ、私はとうとう日本に帰るんだな、と腹の底から感じられてきた。

第四章　旅の行方

帰ってきた日本はなぜか暗く静かで寂しく感じられた

モスクワから着いたのは羽田空港だった。当時はまだ成田空港が完成していなかったので、出発したのが羽田空港なら、到着したのも羽田空港だった。

羽田空港は私にとって親しい場所だった。東京の池上というところで育ったため、家の近くの道路を走っている路線バスの中に「羽田空港行き」というのがあったくらいだ。

それだけではない。家の裏手の「八幡様」が高台にあったため、その松の巨木の根元に坐ると、東京湾の羽田沖と、空港を離発着する飛行機がよく見えたものだった。私の子供のころは、離発着する飛行機の数もさほど多くなく、ひとつの機影を眼に入れてから、次の機影を捉《とら》えるまでにずいぶん時間がかかったような気がする。子供のころの私が、羽田空港を離発着する飛行機を眺めながら、自分もいつかあれに乗って遠くに行くのだろうかと考えていたかどうかはわからない。少なくとも、自分が外国に行くと考えたことはなかったように思う。

その羽田空港にモスクワから到着した時間帯は、夜間ではなかったはずである。しかし、なぜか暗い印象が残っている。照明は明るかったが、パスポート・コントロールのエリアも、ターン・テーブルのエリアも、なぜか静かで寂しげに感じられた。

まずはっきり記憶しているのは、そのターンテーブルから私のバックパックがなかなか出てこなかったことである。そして、ついに最後まで出てこなかった。調べてもらうと、間違いなくパリからモスクワまでは運ばれたという。しかし、モスクワで積み直した際、搭載する荷物が多すぎて載せられないものが出てしまった。私のバックパックはその「留め置き」の中に入ってしまったというのだ。文句を言ってもはじまらないとすぐに諦めた。いや、むしろ、明後日の便で必ず運び、自宅に送り届けるからという航空会社の説明を聞き、空身で帰れることを喜んだ。

羽田から池上の両親の家に帰る途中の風景はよく覚えている。懐《ふところ》にはわずかな金しかなかったが、さほどの距離ではないのでタクシーで帰ることにした。それが日曜日だったということもあるのかもしれない。しかし、道路にはあまり車の姿はなく、街は閑散として静まり返り、まるで無人の土地に帰ってきたような奇妙な感じを受けた。

そして、三日後にバックパックが届いて、「留め置き」を喜んだのは間違いだったということを思い知らされる。中に入れておいたサラミが税関で没収されていたのだ。私はパリにいるあいだ、乏しくなってしまった金を節約するために、中の柔らかい太めのサラミを買い、それをパンにはさんだものをミルクと一緒に食べて一食にするということを続けていた。そうしているうちに、そのサラミが大好きになり、日本でも食べようと三本も買っておいたのだ。バックパックが別送品として届いたため、税関で入念に調べられ、サラミが発見されてしまったらしい。私は知らなかったのだが、サラミは輸入制限の対象物であり、検疫カウンターでのチェックが必要だったのだ。

旅に出る前の私には、どこかで書く仕事から逃走したいという思いがなくもなかった。しかし、旅から帰ると、ほとんどすぐ仕事に復帰していった。不思議なことに、この年から翌年にかけては、私にとって最も多産な年になった。旅をしているあいだに書くことの情熱の水位が高まっており、帰って来たとたんにほとばしり出たのだという解釈も成り立つ。だが、実際は、二十二歳のときに何となく始めてしまったように、このときも気がつくと仕事を再開していたという感じだった。少なくとも、新たな覚悟を定めて書きはじめたというのではなかったように思う。

それにしても、帰国してからの一年の仕事をあらためて眺め渡すと、自分のことながらそのエネルギーに驚かされる。

「三人の三塁手」 調査情報 一九七五年五月号
「シジフォスの四十日」 文藝春秋 一九七五年六月号
「鼠《ねずみ》たちの祭り」 調査情報 一九七五年九月号
「寵児《ちょうじ》」 GORO 一九七五年十二月十一日号
「その木戸を」 GORO 一九七六年三月十一日号・二十五日号
「さらば 宝石」 オール讀物《よみもの》 一九七六年三月号
「長距離ランナーの遺書」 展望 一九七六年四月号
「ドランカー〈酔いどれ〉」 オール讀物 一九七六年五月号
「不敬列伝」 潮 一九七六年六月号
「おばあさんが死んだ」 文藝春秋 一九七六年六月号
「ナチス・オリンピック」 文藝春秋 一九七六年八月号

このリストには、やがて刊行されることになる『敗れざる者たち』や『人の砂漠』において中核的な作品となるものばかりでなく、長編の『オリンピア ナチスの森で』の原型となるものまでが含まれている。

帰国して私の最初の仕事となったのは「三人の三塁手」だった。私の少年時代のヒーローはやはり長嶋茂雄だった。東京に生まれ育ったということが大きかったのか、誰に言われるまでもなく自然とジャイアンツのファンになっていた。特に川上哲治が好きだったという記憶はないが、新人として登場するやすぐにその四番の座を脅《おびや》かすことになった長嶋茂雄が嫌いだった。ところが、気がつくといつのまにか長嶋のファンになっており、彼の選手としての晩年に王貞治が四番の座を脅かしそうになると、かつての川上のときと同じように王貞治をちょっとだけ憎んだりした。

成長するにしたがって、以前ほど熱い気持でジャイアンツの試合を見ることはなくなっていった。

長嶋は一九七四年に最後のシーズンを送るが、私はそのシーズンの長嶋をまったく見ていない。まさに旅の途中だったからだ。感動的だったという長嶋の引退のセレモニーの映像は日本に帰ってきてから見ることになった。特にそれに心を動かされるということはなかったが、ジャイアンツの監督となった長嶋の姿をテレビのキャンプ情報などで見ているうちに、書いてみたいなという気持が湧《わ》き起こってきた。長嶋茂雄を書いてみたい。だが、インタヴューをすることはできないだろう。では、どう書いたらいいか。

そのとき考えついたのが、長嶋茂雄を「書かないで書く」という方法だった。つまり、長嶋茂雄が存在したために三塁手となれなかった二人の選手を描くことで、結果として長嶋を描くことができるのではないかと思ったのだ。私は難波昭二郎に会い、土屋正孝の行方を追った。

それとほとんど同じ時期に取材し、書き上げた作品が「シジフォスの四十日」である。美濃部亮吉《みのべりょうきち》と石原慎太郎との間で争われた東京都知事選挙を描いたものだった。月号は「三人の三塁手」より遅くなっているが、実際に世の中に出たのはこの「シジフォスの四十日」の方が早かった。それは、「調査情報」が出版界の常識とは異なり、月号を実際に発行する月と合わせていたからである。つまり、「調査情報」に載った「シジフォスの四十日」は五月十日に発売されていたが、「文藝春秋」に載った「三人の三塁手」が書店の店頭に並んだのは五月二十日頃だったということなのだ。

その意味では、「シジフォスの四十日」が、私の帰国を友人や知人に知らせる最初の作品となったと言える。

そうした仕事をしていく中で、初めて自分がいままでと違う何かを書けたように思えたのが「長距離ランナーの遺書」だった。

東京オリンピックのマラソンで銅メダルを獲得した円谷幸吉《つぶらやこうきち》を書くことはかなり早い時期から考えていた。『若き実力者たち』が十二回の連載を終えたとき、それを掲載してくれていた「月刊エコノミスト」の編集長だった高守益次郎氏から、ひと休みしたら新しい連載を考えてくれないかと頼まれた。

そこで想を練り、新たなシリーズをいくつか考え出したが、そのひとつに「夭折者《ようせつしゃ》列伝」というのがあった。第二次大戦後に夭折した十二人の若者を描く。それまで、ジャーナリズムに夭折者として取り上げられるのは、文学者や左翼的な学生運動家や時代を象徴する犯罪者に限られていたが、私の「夭折者列伝」には右翼やスポーツマンなども含まれることになっていた。自死した円谷幸吉もそのリストの中に入っていたのだ。

残念ながら「夭折者列伝」は私が旅に出てしまったため実現しなかったが、リストにあった人物は日本に帰ってきてから単独の作品として描かれることになった。やがて書くことになる「ジム」の大場政夫も、私にとって初めての長編となった『テロルの決算』の山口二矢《おとや》も、本来は「夭折者列伝」に含まれていたかもしれない人物だったのだ。

先に掲げた一九七五年から一九七六年にかけての作品リストには含まれていないが、私にとって大きな意味を持つことになるもうひとつの仕事があった。

私が帰国すると、それをどこかで聞きつけたらしい雑誌編集者から連絡を受けた。私が経済学部の出身だということを記憶していたらしく、春闘を巡って鋭く対立している労働側と経営側、それに研究者の意見を聞くインタヴューをしてくれないかというのだ。それまで、雑誌上でいわゆる純然たるインタヴュアーとしての仕事をしたことはなかったが、日本に帰ったばかりで何もすることがなかった私はごく軽い気持で引き受けた。

このときインタヴューした相手のひとりに下村治がいた。怜悧《れいり》で、傲然《ごうぜん》としており、まさに「取りつくシマがない」というような感じではねつけられた。しかし、私には初めて遭遇した「大人」であるように思えた。

私はそのときの衝撃から下村治の著作をゆっくりと読むことを始めた。それはやがて「所得倍増」という言葉への関心となって一点に結ばれていき、池田勇人《はやと》と田村敏雄と下村治の三人を巡る物語『危機の宰相』に結実することになった。

この『危機の宰相』は、私が『テロルの決算』や『一瞬の夏』のような長編に向かっていく契機となる作品だったが、その発端は旅から帰ったあとのぽっかりした時間に、本来ならするはずもない仕事を引き受けたところにあったのだ。

それもまた、旅の不思議のひとつだったかもしれない。

旅で手に入れたものもあれば、失ったものもある

旅から帰って、友人や知人から頻繁に訊《たず》ねられたのは、どこの国のどの街がいちばんよかったかという質問だった。はじめのうちは真剣に考え、考えれば考えるほどわからなくなってしまったが、やがてさほど生真面目《きまじめ》に対応する必要のないことに気がついた。それが外国に長いこと行っていた者への、儀礼的な、一種のあいさつがわりの質問だということがわかってきたのだ。それが理解できるようになってからは、私もそのときそのときの気分に従って、香港《ホンコン》と答えたり、カルカッタと答えたり、イスタンブールと答えたりするようになった。

しかし、そうした会話をしているときに、ふと、名前も覚えていないような小さな街の、何の変哲もない風景が脳裡《のうり》をよぎることがあった。朝もやの中で餌《えさ》をあさっているゴミ捨て場の野良犬、汚れた壁の前を走り抜ける夕暮れの子供たち、街灯の明かりを鈍く反射している雨に濡《ぬ》れた石畳の舗道……。

好きとか嫌いとかいう感情が芽生えるほど長くいたはずのない街なのに、不思議に鮮やかな心の残り方をしているのだ。

それはひとつに、私が鉄道でなくバスで旅をしてきたということが大きかっただろう。街から街へと走り抜けていくバスに乗り、常にバスからぼんやり窓の外を眺めていた私の内部では、滞在どころか降り立つことすらなかった街の風景に対しても、無意識のうちにスケッチが行われていたのだろう。そして、そうした風景の断片が、何かの拍子に、それこそ風にめくられる画帳のように、体の奥で甦《よみがえ》ってくるのだろう。

しかし、それはまた、旅がしだいに遠ざかっていってしまうような寂しさを生むものでもあった。

こうした日々の中、ＴＢＳラジオの深夜番組「パックインミュージック」の、小島一慶氏がパーソナリティーをつとめる曜日で、ほぼ一カ月にわたって旅の話をすることになった。

帰国して小島氏に連絡を取ると、旅先からの手紙は面白く読ませてもらった、保存してあるから取りにこないかと言ってくれた。

ＴＢＳのアナウンサー室に小島さんを訪ね、地下にある「サクソン」でカレーを御《ご》馳走《ちそう》になりながら、あれこれ旅の話をした。すると、それを聞いてくれていた小島さんから、ギャラは払えないけれど、よかったら番組に出て話をしてくれないかと頼まれた。

私は喜んで出させてもらうことにして、小島氏を相手に旅の話をすることになった。小島氏は私の話をとても面白がってくれ、また来週、また来週と続くことになり、結局五週にわたって話すことになった。

それによって、あの旅が、自分にとってだけでなく、他人にとっても面白いのかもしれない、と思うようになった。小島氏が熱心な聞き手になってくれただけでなく、聞いてくれていたリスナーから好意的な反響が届いたからだ。

そのときのことで、いまも強く印象に残っているのは、放送が終わって帰るときの風景である。小島氏の言うとおりノーギャラだったが、タクシー券を出してくれたので、家には深夜のタクシーで帰った。そのとき、午前三時になってもネオンの消えない明るい街並を見て、自分は日本の、それも都会に戻ってきたのだな、とあらためて思うことになったのだ。

もしかしたらあの旅の話は他人にとっても面白いものなのかもしれない、という発見は私にほんの少し自信を与えてくれた。

旅に出る前の私にはこういう思いがあった。もしかしたら、私はインタヴュアー、話の聞き手としては悪くないものを持っているかもしれない。いや、かなり上手に人の話を聞くことができる。しかし、自分は、こちらから話せるようなことを何ひとつ持っていない。いつか、自分にも、人が面白がって聞いてくれるような「話のタネ」を手に入れることができるのだろうか……。

ところが、旅から帰ってきてみると、間違いなくひとつは話すことができていた。話して、少しは楽しんでもらえそうな素材をひとつは持てるようになった。そのことは人と対応するときの私をかなり自由にしてくれたように思う。

たとえば、それは井上陽水と初めて会ったときにも強く感じたことだった。

日本に帰った私は、ノンフィクションの短編を次々と書いていくだけでなく、週に一回のラジオの番組を引き受けるようになっていた。NHKで、私の興味のある人のところに会いに行き、インタヴューをするというものだった。それはやがて、FM東京で担当することになる「アウトドアスタジオ」の原型ともなる番組だった。もっとも、そのNHKの番組は「若いこだま」という夜の番組の中の一コーナーであり、時間も十五分と短かった。

その中のある回で、当時、すでにテレビには出ないという戦略をとるようになっていた井上陽水にインタヴューすることになった。会ってどのくらいたったときだったろう、インタヴュアーである私が旅先でのひとつの体験を話すことがあった。

アフガニスタンの砂漠では、バスで走っているとよく羊の群れに出会った。すると、その群れから、ひとつの黒い影が疾走してくる。羊飼いの犬なのだ。バスを羊の群れの敵と見なして、やって来るのだ。しかし、羊飼いの口笛で、敵であるバスに飛びかかる寸前にUターンして戻っていく。

私が話すと、井上陽水はそれまでとは違う反応をした。しばらく考え、そしてこう言ったのだ。

「でも、日本では、それは歌にならないだろうな」

私は、そのとき、ゾクッとしたと思う。彼には私の話が正確に伝わっている！

井上陽水とは、いくつかの曲折を経て友人に近い関係を持つことになるが、少なくとも私の側からは、このときの彼の反応がなかったらここまでの親しさは生まれなかったように思う。

私がこの旅で得たものは「話のタネ」だけではなかった。

地続きでアジアからヨーロッパに向かったことで、地球の大きさを体感できるようになった。あるいは、こう言い換えてもよい。ひとつの街からもうひとつの街まで、どのくらいで行くことができるかという距離感を手に入れることができた、と。行ったのは香港からロンドンまでだったが、体の中にできた距離計に訊ねれば、それ以外の地域でも、地図上の一点から他の一点までどのくらいの時間で行けるかわかるようになった。

あるいは、私が旅で得た最大のものは、自分はどこでも生きていけるという自信だったかもしれない。どのようなところでも、どのような状況でも自分は生きていくことができるという自信を持つことができた。

しかし、それは同時に大切なものを失わせることにもなった。自分はどこでも生きていくことができるという思いは、どこにいてもここは仮の場所なのではないかという意識を生むことになってしまったのだ。

私は日本に帰ってしばらくは池上の父母の家にいたが、すぐに経堂《きょうどう》でひとり暮らしを始めた。

夜、その部屋の窓から暗い外の闇を眺めていると、ふと、自分がどこにいるのかわからなくなる、ということが長く続いた。そこが自分の部屋であり、家なのに、旅先で泊まったホテルの部屋より実在感がないような気がしてならなかった。

失ったものはまだある。具体的に、もっと大事なものを失うことになったのだ。

旅から帰り、一年ぶりに「調査情報」の編集部に顔を出すと、例の編集部員の動静を記した黒板の私の欄には、旅先から一枚だけ出した絵葉書が貼《は》られ、さらに「行方不明」という文字が書き込まれていた。

その日から、私にはまた、家と「調査情報」の編集部を行き来する以前と同じような日々が始まった。しかし、それが以前とまったく同じでないことはすぐにわかった。今井氏と太田氏は編集部にそのままいたが、宮川氏は古巣のラジオに戻っていた。周囲にいる調査部の人たちの顔触れも変わっていた。いや、何より私自身が変わっていた。ただ、そのことに私は気がついていないだけだったのだ。

帰った直後の一九七五年、「調査情報」では「三人の三塁手」と「鼠たちの祭り」の二本の原稿を書いた。

ところが、それを最後に、「調査情報」で書くことがなくなってしまった。仕事の依頼がまったく来なくなってしまったのだ。私はそのことが気になりながら、「文藝春秋」や「オール讀物」といった雑誌での仕事に追われていた。

あるとき、それは太田氏と久しぶりに呑《の》んだ折のことだったが、私はこう言った。仕事を依頼してくれればいつでも応じる用意はあります、と。そこには間違いなく「調査情報」と太田氏への深い感謝の念があった。しかし、ほんのわずかなものだったとしても、私に驕《おご》る気持がなくはなかったかもしれない。いま自分は書き手としてかなり充実した時期にある。その自分を使うのは雑誌としても悪くないのではないか……。

すると、太田氏はにべもなく言った。

「あの雑誌には、もうお前さんに書かせてやれるページはないんだよ」

その言葉に私は横面《よこつら》を張られたようなショックを受けた。そして、自分の傲慢さを恥じた。

しかし、太田氏はことさら冷淡な口調で言っているが、その言葉の底にある真意は明らかだった。太田氏は、お前さんはもう「調査情報」を卒業していいんだよ、と言ってくれていたのだ。「調査情報」の編集部の人たちは、私というヒヨッ子がすでに巣離れをする準備ができていることを察知していた。仕事の依頼をまったくしてこなかったのは、私を「調査情報」という狭い世界に縛りつけることを恐れていたからなのだろう。「調査情報」の編集部がいつ頃から私をそのぬくぬくとした巣から追い出そうと決めたのかはわからない。もしかしたら、私が日本を出ようとしたときに、もう巣離れの時期がきていると考えたのかもしれない。

その夜、別れ際《ぎわ》に、太田氏は私を労《いたわ》るように言った。

「いいんだよ、気にしてくれなくても」

今井氏はやがて編集部を離れたが、太田氏はそれからも長く「調査情報」の編集に携わりつづけた。だが、ただの一度も私に原稿の依頼をしてこなかった。太田氏は、私に面白がり方の技術を教えてくれただけでなく、またシャープでストレートなジャブの打ち方を教えてくれただけでなく、ジャーナリズムにおける身の処し方を黙って教えてくれたのだ。いや、それはジャーナリズムの、という限定をつける必要のないものだったかもしれない。私は人生における潔《いさぎよ》さというものを学んだのだ。

二つの雑誌に書いた二つの短編が二つの文体を生み出してくれた

日が経《た》つにつれて旅はどんどん遠ざかっていったが、それについて書きたいという思いはずっと抱きつづけていた。

旅先でも、この旅についてはいつかどのようなかたちでか書くことになるだろうなという予感のようなものがあった。旅でつけていた金銭出納帳風のノートに、「ユーラシアをバスに乗って」といったタイトルをつけていたのも、どこかにそうした思いがあったからだったろう。タイトルだけではない。ページの余白には、目次のようなものすら書いていたくらいだ。

最後のノートの、最後のページには、次のような走り書きがある。

1　発端　　日本
2　60セントの豪華な航海　　香港

19　旅の終わり　イギリス
20　氷のトンネルを抜けて　オランダ・ドイツ

もうこれはほとんど現在の『深夜特急』の構成に近いが、だからといってすぐに書くということにはならなかった。

帰ってから、旅の経験を短いエッセイとして断片的には書いていた。しかし、長いものを書くためには私には何かが不足していた。

それを自覚していたということもあったのだろうか、当初は、いくつもの断章を連ねていき、それが緩やかにつながるとひとつの首飾りのようになっている、という作品を目指していた。

たぶん、それはエリアス・カネッティの『マラケシュの声』を念頭に置いてのことだったと思う。

カネッティの『マラケシュの声』は、インドのブッダガヤで知り合った此経啓助《これつね》氏に教えてもらった本だった。此経さんは大学で日本語を教えるためにブッダガヤに来ていたが、なかなか教壇に立たせてもらえず「ぶらぶらしているより仕方がない」というときに出会った。私はカネッティという作家も知らなかったし、『マラケシュの声』という作品も知らなかったが、此経さんの話を聞いて強い関心を抱いた。

ユダヤ人であるカネッティがモロッコのマラケシュという街を訪れ、ユダヤ人街に深く入っていく。何も具体的には起きないが、彼はこの街を描いてみたい、それも音を通して描いてみたいと思う。カネッティはユダヤ人だが、現地のユダヤ人の言葉はまったく理解できない。しかし、理解できなくてもいい、言葉をあえて覚えずに音を通して理解しようと心に決める。その「理解」の過程をモチーフに、短い文章が書き連ねられていく……。

その話を、私はたぶん、現地の言葉をろくに覚えられないまま移動していかざるをえない自分と重ね合わせるようにして聞いたのだろうと思う。

私は、さっそく日本にいる友人に手紙を書くと、その本をカブールの日本大使館留めで送ってもらうことにした。現在はどうなっているか知らないが、当時は大使館気付で手紙や本などを日本から送ってもらうことが可能だったのだ。

カブールで手にした『マラケシュの声』の中に、習い覚えた世界の諸言語を忘れてしまい、ついにどの国に行っても、人が話す言葉の意味がもう理解できなくなってしまった一人の男を想像する、という言葉で始まる文章があった。とりわけ、それに続く、《言語のなかには何があるのであろうか？　言語は何を蔽《おお》っているのであろうか？　言語はわれわれから何を奪い去るのであろうか？》という文章には激しく心を動かされたものだった。

わたしはモロッコで過ごした数週間というものアラビア語もベルベル語も敢えて習得しなかった。わたしはなじみのない、さまざまな叫び声の迫力をいささかも減じたくなかったのである。わたしは音自身の欲するままに、音そのものによって摑《つか》まれたかったたし、不十分かつ不自然な知識によってそれをいささかも弱めたくなかったのである。この国にかかわる本は一冊も読まなかった。この国の風俗習慣はわたしにとってこの国の人びとと同様見慣れぬものであった。日々の生活のなかであらゆる国あらゆる国民を越えて何らかのかたちでわれわれのところに舞いこんでくる瑣事《さじ》の類《たぐ》いが、マラケシュに着いてすぐ数時間で雲散霧消した。

岩田行一訳

この本を読んでからというもの、私は旅先でつけているノートの余白に、短編のタイトルのようなものをいくつも書き連ねるようになった。

シャープな短編を連ねていき、それが緩やかにつながると、ひとつの首飾りのような長編になっている。私が最初に夢見た紀行文とはそういうものだった。だが、それが書ける文体を私はまだ持っていなかった。

そうした中で、集英社から「月刊プレイボーイ」が創刊された。そして、すぐに編集部から連絡があった。会いに来たのは、同世代の編集者である田中照雄氏だった。具体的な仕事の依頼ではなく、長期的な展望のもとに、いずれ何かを書いてほしいということだった。

ところが、昼間の蕎麦《そば》屋で日本酒を呑みながら話しているうちに、彼が地理を専攻していたこと、また異国について強い興味を抱いていることがわかった。そこでユーラシアの旅の話をすると、田中氏は強く反応した。とりわけ、香港の話を面白がった。やがて、テーブルにお銚子が数本並ぶころには、それをすぐに書きませんかということになった。

私がそれを一九七六年の秋に書いて渡すと、十二月刊行の二月号に掲載されることになった。

私がつけたタイトルは「飛光よ！　飛光よ！」というものだったが、表紙には「香港流離彷徨記《ほうこうき》」というサブタイトルが載った。そのサブタイトルは田中氏がつけてくれたものだった。私のタイトルと同様に意味不明ながら、そこには、のちに『深夜特急』というタイトルを生み出すひとつの芽が含まれていたようにも思う。流離というのはおおげさだが、まさに私は香港という街をほっつき歩いていたのだ。

当時、香港を街歩きの対象として書いたものはあまり例がなかった。もしかしたら、若者が香港を紀行の対象として発見した最初のものかもしれないとも思う。

その文章は何人かの編集者が面白がってくれたが、そこから先をどうしていいかわからなかった。そのまま書いていくと、跳びはねたようなものになってしまう恐れを感じてもいた。あの旅は、確かに、楽しくて、面白かったが、それだけではなかった。暗く、沈んだ気分のときもあった。そうしたものをすべて描くことができそうになかったのだ。

しかし、これを契機として「月刊プレイボーイ」との付き合いは深いものになっていく。私にとって「月刊プレイボーイ」は初めて自分が書いてみたいと思った雑誌であり、やがて、重要な作品につながっていく実験的な仕事をいくつもさせてもらうことになる。

それからしばらくして、小学館で新しく創刊された「クエスト」という雑誌から、やはり同世代の小川隼一氏という編集者がやってきた。彼は、こんどシルクロードの特集をやりたいのだが、二、三十枚で何か書いてくれないかという。

三十枚ほどであのシルクロードの旅のすべてを書くことは不可能だ。しかし、断片を断片として提出するのは編集意図に合っていないような気がする。短いものでありながら断片的なものではなく、どこか全体を暗示するようなものは書けないだろうか。

考えているうちに、ひとつのアイデアが生まれた。

ギリシャからイタリアに渡るフェリーの中で書いた手紙には、シルクロードの旅を振り返ったような部分がある。あの手紙を整理してみたらどうだろう。

そこで私はフェリーで書いた手紙を引き写し、不要な部分をカットし、不十分なところを補って、「絹と酒」という書簡体の文章を書いた。

私はこの二つの短編によって、『深夜特急』の二つの文体をほぼ手に入れたことになる。しかし、そこから実際の執筆に向かうためには、もうひとつの「衝撃」が必要だった。

冬の映画館で小さく震えながらその映画を見ていた

旅から帰って三年後のことだった。私は一本の映画を見た。もし、それを見なかったとしたら、あるいは『深夜特急』は書かれなかったかもしれない。少なくとも、『深夜特急』というタイトルの紀行文は書かれなかったに違いない。

それは『ミッドナイト・エクスプレス』という実話をもとにしたアメリカ映画だった。

舞台はトルコ。主人公はアメリカの大学を中退して中近東に遊びに来た若者。その若者ビリーは、イスタンブールでハシシを二キロ買い込み、アメリカに持って帰ろうとする。自分でも吸いたいし、残りを友人に売りさばけば、この旅の費用以上のものが稼げると甘い計算をしたのだ。靴の中に隠し、服の下に隠し、どうにか税関の眼を盗んで、アメリカに向かうパン・アメリカン機に乗り込むことに成功する。あとは離陸を待つだけだ。

ところが、そこに武装した兵士たちが乗り込んできて、乗客の身体検査を始める。この飛行機に爆弾が仕掛けられているという匿名《とくめい》の電話が入ったためだった。

もっとも、この映画では、そのあたりをドラマティックにするために、ビリーがタラップに足をかけて登ろうとした瞬間に、兵士たちに取り巻かれることになっている。サーチライトを浴びせられ、銃を突きつけられる。それはガセネタだったのだが、その巻き添いを食ったビリーは、身体検査によってハシシの密輸が露見してしまう。

いずれにしても、そこからこの映画の物語は展開していくのだ。

捕らわれたビリーは、取り調べを受け、裁判に引き出されていくうちに、しだいに刑期を加算され、ついには無期を言い渡されてしまう。映画では、ほとんど全編が、そのようにして放り込まれたトルコの刑務所の中での凄惨《せいさん》な日々を描くことに費やされることになる。暴力、同性愛、裏切り……。

結局、ビリーは偽《にせ》の精神病者として移り住むことになる精神病院を含めて、刑務所で合計四年を過ごすことになる。精も根も尽きかかるが、何度かの脱獄の試みの果てに、ついに隣国のギリシャに逃げ込むことに成功する。

トルコ人からしてみれば、いくらなんでもあんなひどい刑務所はないとか、あんなにお粗末な弁護士はいないとか、言いたいところは多々あるだろう。あまりにもトルコ人を無知だったり、サディスティックだったりするように描きすぎている、と。しかし、ビリーの側から見れば、ああいうものとして存在していたのだ。

私がこの映画を見たのは十二月の寒い日だった。見たい見たいと思っていたが、なかなか行くことができず、もうその日で上映が打ち切られるという最終日に映画館に駆けつけた。銀座の有楽町駅前にある、パチンコ屋の二階にあるような小さな映画館だった。

観客は四、五人しかいなかったが、暖房は効いていたから館内が寒かったはずはない。しかし、私はその映画を見ながら小さく震えていた。恐ろしかったのだ。ビリーに降りかかる災厄としか言えないような苦しみが肉体的な痛みを伴って私に迫ってきた。

映画を見終わったあとで、私には珍しく映画のパンフレットを買う気になった。

いまも手元に残っているそのパンフレットであらためてスタッフの名前を確かめてみると、この映画がそれ以後のアメリカ映画界で「社会派映画」を担《にな》うことになる重要な三人によって作られていたことがわかる。製作が『キリング・フィールド』や『ミッション』のデヴィッド・パットナム、監督が『バーディ』や『ミシシッピー・

バーニング』のアラン・パーカー、そして脚本が『プラトーン』や『7月4日に生まれて』のオリバー・ストーンという具合だ。

その帰り、私はさらに原作を買うため本屋に立ち寄ることにした。それはひとつ確かめたいことがあったからだった。映画の中で、ハシシの取引に使われていた店が、イスタンブールの「プディング・ショップ」ではないかと思ったのだ。

私たちのような長期旅行者はイスタンブールに着くと、「プディング・ショップ」という安食堂に必ず行く。そこで西洋風の食事が食べられるからというより、旅に必要な情報やハシシを手に入れることができるからだ。

ストーリーの発端部分で、警察に逮捕されたビリーは、取調官にハシシの売人を教えれば助けてやると言われる。ビリーは刑事と共に市内のヒッピーのたまり場に行く。そこで、売人を教えるふりをして、刑事たちの隙《すき》を見て逃亡する。しかし、すぐに捕まってしまうことになるのだが、そのヒッピーのたまり場とされていた店が私もよく知っている「プディング・ショップ」によく似ていたのだ。もちろん、この映画にトルコはいっさい協力していないということなので、イスタンブールでロケをしているはずはない。だから、それが「プディング・ショップ」そのものであるはずはないが、雰囲気がとてもよく似ていた。いや、似ていたというだけでなく、これが本当にトゥルー・ストーリー、事実に基づいた物語であるなら、それは「プディング・ショップ」でなくてはならないように思えたのだ。パンフレットに記されていた情報によれば、原作はビリー・ヘイズとウィリアム・ホッファーの共著ということになっている。ビリー・ヘイズが主人公の名前なので、ウィリアム・ホッファーというライターが話を聞いてまとめたということになるのだろう。

私は、映画館の帰りに数寄屋橋《すきやばし》の本屋に寄り、あの店が「プディング・ショップ」だったのかどうか確かめるために原作を買い求めた。そして、地下鉄の銀座線に乗ると、さっそく読みはじめた。

私は必死に祈っていた。「神様、お願いです、これで検査が終わりになりますように。あの男がもう一度身体《からだ》を調べたりしませんように」

ゆっくりとまた係官の手が動き出し、脚の内側から腹のほうを探りはじめた。臍《へそ》の下のところで、指が固い脹《ふく》らみに触れた。あやうく身がすくみそうになった。だが、またしても、彼は気づかなかった。

指は動き続け、もうそれをやめさせるすべはなかった。彼が、テープで腕の下にとめた包みをしっかりとつかむまで、私は絶望の思いでただ突っ立っていた。一瞬、二人の目と目があった。

突然、係官は後ろへ飛び退き、上着の内側からピストルを抜き出した。彼は片膝《かたひざ》をついて、銃口を私の腹に向けた。彼の手は震えていた。まわりで、乗客たちの悲鳴と隠れようと騒ぐ物音が聞こえた。私は両手を高くあげ、目を固く閉じた。息もとめたままだった。

死のような沈黙が、イエシルコイ国際空港をおおった。五秒たった。いや、十秒だったかもしれない。私にはそれが、永遠のように思えた。

小関哲哉訳

こうして捕らえられた主人公のビリーは、やはり原作でも刑事と共にハシシの取引先に赴くことになる。

というわけで、その日の夕方、私は四人の刑事につき添われて、プディング・ショップのほうへ向かって歩いていた。四人の刑事は、なるべく目立たないよう、気を遣っていた。だが私たちの一団が現われると、百メートルも向こうにいたヒッピーたちが道路から姿を消すのが見えた。プディング・ショップに着いたとき、お客は一人もいなかった。私はテーブルにすわった。朝から何も食べていなかったので、突然とても空腹を感じた。勇気を奮い起こして、警官たちの怒りものかは、スクランブル・エッグと紅茶を注文した。私はひと口ひと口を思う存分味わったが、とうとう刑事たちはしびれを切らして本性を表わし、テーブルから私を引き立てて警察署に車で連れ戻した。

実際は、映画のように逃亡をはかったりはしていなかったが、その店は間違いなく「プディング・ショップ」だった。

その店が実際に「プディング・ショップ」だったからといって何ということもないのだが、それによって私は、ビリー・ヘイズの運命が自分の運命にもなりえた可能性のあることを知ったのだ。そして、そのとき、この映画の恐ろしさは二重のものになった。私はこう思ったのだ。

――異国をうろついていた私は、異国に在るという根源的な恐ろしさをまったく自覚しないまま歩いていた。自分の育った国の法律や論理や常識がまったく通用しない不条理な世界。本来、異国とはそういったもののはずだった。トルコばかりでなく、旅人にとってはすべての異国が不条理そのものの存在と化しうるという重要なことを私は忘れていた……。

ビリーが逮捕されたのが一九七〇年、脱獄したのが一九七五年。彼が最後の獄中生活を送っているとき、私はまさにその「プディング・ショップ」で、彼と似たような日々を送っていた。そのとき、間違ってハシシを手に入れて所持していたかもしれず、警察の手入れを受けて逮捕されていたかもしれないのだ。

映画では、脱獄することの隠語として「ミッドナイト・エクスプレスに乗る」という言葉が使われていた。一方、原作では、ビリーが家族と手紙で脱獄に関する事柄を連絡するときのカモフラージュ用の言葉として用いられていた。いずれにしても、私には「ミッドナイト・エクスプレスに乗る」という言い方が深く心に残った。そして、思った。私もあの旅で私の「ミッドナイト・エクスプレス」に乗っていたのだなと。

一年の旅を一年かけて書くということに心を惹《ひ》かれた

あるとき、産経新聞の文化部の記者で篠原寛氏という方が会いにきてくださった。

もともと篠原氏とは面識がないわけではなく、エッセイ集の『路上の視野』を出した直後にインタヴューを受け、「このごろ」という欄に記事を載せてもらっていた。

そのとき、「もし連載のお願いにうかがったら考えてくださいますか」と言われ、あまり産経新聞とは縁がないので「まあ」と気のない返事をしていた。

ところが、篠原氏は律義にそのときの「約束」ともいえない約束を覚えてくれており、お会いすると夕刊の新聞小説の欄で連載をしないかと勧めてくれた。

しかし、何を書いたらいいのだろう。当時はまだ小説を書く気はなかったから、その欄にふさわしい題材が思い浮かばなかった。

そのとき、篠原氏がこう言ったのだ。

「あの旅のことはお書きにならないのですか」

篠原氏がそう言ってくれたのには理由がある。私は「このごろ」という欄のインタヴューの中で、これからの予定として二つの仕事を挙げていた。ひとつは『危機の宰相』の完成、もうひとつは、という私の話を受けて篠原氏はこう書いていたのだ。《六、七年前にインドからロンドンまでバスで一年間「フーテン旅行」をした一部始終をまとめる仕事だという》

しかし、一年たってもいっこうに「まとまった」気配がない。あれはどうなったのですかと訊《たず》ねてくれたのだ。

「いつか書きたいと思ってはいるんですけど、新聞では無理ですよね」

私が別に深く考えもせずに言い放つと、篠原氏はこう応じた。

「そんなこともないように思えますけど」

篠原氏にも確信があったわけではないだろう。しかし、私はそのひとことでふと立ち止まった。

もしかしたら、あの旅の話は新聞の連載に向いているのではないか。かつて朝日新聞で『一瞬の夏』を連載したとき、書いている途中でこれは新聞に向いている題材だったと納得したことがあった。新聞の一日分というのは原稿用紙にして三枚という短いものだ。それが人物の視点の移動や時制の変化があったりすると、読者はついていくのに苦労する。しかし、『一瞬の夏』は夏から夏までの一年を描いた一方向の物語であり、しかも「私」の一人称で語られていく。

考えてみれば、この旅の物語も春から春までの一年の物語であり、主人公は「私」でしかない。さらに好都合なのは、時間だけでなく、あるところからあるところに向かうという空間的にも一方向の物語であることだ。あるいは、『一瞬の夏』のように小説欄に載せるノンフィクションとして成立するかもしれない……。

連載の期間は一年間だという。一年間の旅を一年かけて書く。それはなんとなく素敵なことのように思えた。

――やってみようか。

それまで、その旅について書くということに関しては試行錯誤を繰り返していたが、ようやく機が熟してきつつあったのかもしれない。私は一九八四年の六月からその旅についての連載をすることにした。

新聞連載をするにあたって、少しずつ考えを整理していった。

まず第一に、タイトルをどうするかが問題だった。

私が旅をしているあいだにつけていた金銭出納帳のようなノートには、その旅につけていた愛称のようなものが記されていた。それはどこかに、いつかこの旅について書こうという思いがあったからだろうし、その変遷《へんせん》には私のその旅に対する位置の取り方の変化が反映しているように思える。

シルクロード・ノート
ユーラシアをバスで
ユーラシアを駄馬に乗って
駄馬に乗って
ユーラシアをバスに乗って
ユーラシアの果てまでの旅
飛光よ、飛光よ

タイトルをどうするかについて、最後まで候補として残ったのは「飛光よ、飛光よ」だった。しかし、私の内部では、数年前に見た映画の『ミッドナイト・エクスプレス』の記憶が強烈に残っていた。タイトルとして「ミッドナイト・エクスプレス」とはつけられないが、その日本語訳を借りることは許されるのではないか。「ミッドナイト・エクスプレス」をそのまま訳せば「深夜急行」になるが、「深夜特急」の方が落ち着きはいい。エクスプレスではなく、鈍行に乗っての旅のようだったが、私もまたトルコの受刑者たちと同じく、私の「ミッドナイト・エクスプレス」に乗ろうとしていたことは間違いないのだ……。

私は連載のタイトルを「深夜特急」とすることにした。

次の問題は挿絵《さしえ》を誰に描いてもらうかということだった。

資料になるようなものはほとんどない。小説と違って登場人物も少なく、派手な動きがあるわけでもない。『一瞬の夏』のときも挿絵を引き受けてくださった小島武氏に苦戦を強いてしまったが、それ以上に難しいかもしれない。

そのとき、小説雑誌などで時代物や中国物を版画で描いている原田維夫《つなお》氏のことが頭に浮かんだ。

原田氏とは面識があった。

かつて「月刊エコノミスト」で「若き実力者たち」という連載を始めたとき、デザインを担当していたのが若き原田氏だった。その第一回はごく普通のレイアウトだったが、たまたま編集部で作業中の原田氏と顔を合わせ、さまざまな話をしているうちに、たとえば写真は一枚を大きく使った方がいいとか、文章は一ページ四段ではなく三段にしようとかいうことが決まっていった。その結果、二回目からは見違えるように美しい欄になっていったのだ。取材したいと思う人にその欄を見せると、多くの人が快く応じてくれた理由のひとつは、そのデザインの美しさにあったような気がする。たぶん、文藝春秋の新井氏に注目してもらえたのも、それが大きな理由だったろう。

私はいつかそのときの「恩義」のお礼をしたいと思いつづけていた。この挿絵を頼むことで、かえって迷惑をかけてしまうことになるのではないかという懸念《けねん》もなくはなかったが、できればまた一緒に仕事をしたかった。依頼すると、原田氏は喜んで引き受けてくれた。

最後は文章のスタイルの問題だった。

具体的には、一人称を「ぼく」にするのか「私」にするのか。時間を置いたいま回顧するように書くのか、その渦中を生きるように書くのか。どこから始めて、どこで終わるのか。この三つが決まれば書けると思った。

その結果、しだいに次のような方向になっていった。

一人称は「ぼく」ではなく「私」とすること。そうすることで旅に付着している若さの熱を冷ます。しかし、現在から過去を顧みるというかたちをとらず、主人公の「私」に旅の中を生きさせる。そうすることで、旅をしているという生々しさを維持する。また、旅は最初に決めたルートであるデリーからロンドンまでではなく、香港からロンドンまでとする。

そして、書くに際しての最も重要な方針は、徹底したノンフィクションとするということだった。省略はしてもいい。すべて書くことは不可能なのだから。しかし、フィクショナルな変形はしない。

それでなくとも、私の旅にはかなり不思議な出来事が次々と起こる。もし一カ所でもフィクショナルにしてしまうと、他の部分のリアリティーを損なってしまう危険性がある。それを回避したかったのだ。

こうして「深夜特急」は、第一章の「朝の光」から書き起こされることになった。

私には三種の神器のようなものがあった

ところで、どうして十年も前のことが書けると思ったのか。

それは、私にとっての「三種の神器」とでもいうべきものがあったからである。ひとつは金銭出納帳のようなノート。もうひとつはその反対のページに記されている心覚えの単語や断章。さらにもうひとつは主としてエアログラムと呼ばれる航空書簡に記された膨大な数の手紙。この三つを参照することで当時のことが克明に再現できたのだ。

だが、しかし、それを具体的にどのように利用して書いていったのか。

それについては、かつて小中学生のためにノンフィクションの書き方を説明するときに用いた例を使うのが最もわかりやすいかもしれない。

私は、この旅で、町から町への移動を繰り返しながら、町に到着すると、一枚二十円とか三十円とかの航空書簡、エアログラムを買い、そこに細かい字でびっしりと手紙を書いていた。それはあらゆる余白に書き込まれていたため、四百字詰めの原稿用紙にすると七枚から八枚分は優に入っていたと思う。その数、百通以上。もし、いざ、紀行文を書こうとしたとき、その手紙が存在していたことが重要だった。もし、それが残っていなかったとしたら、書こうと思わなかったかもしれない。そこには、わずかな金の損得に振り回されて、笑ったり怒ったりしている貧乏旅行者の滑稽《こっけい》な姿とともに、異国を目的もなくほっつき歩いている若者の熱狂と退廃の果ての危うい姿が、はっきりと定着されていた。

もっとも、手紙がなければ書けなかったかどうかはわからない。この手紙は主として四人の友人や知人に出していたが、そして彼らはそのほとんどを保存しておいてくれたが、カルカッタからの一連のシリーズだけは手違いから失われてしまっていた。あの、興奮に包まれて歩きまわっていたカルカッタ、そして何通も何通も書き連ねたカルカッタ編がなくなってしまった。それはショックだったが、いざ書こうとすると次から次へと書くべき情景が甦《よみがえ》ってきた。

あるいは、そこがカルカッタだったからよかったと言えるかもしれない。カルカッタは香港に次ぐ興奮に包まれた土地だったからいつまでも体内に強烈な記憶が残っていた。これが他の土地だったら途方に暮れていたかもしれない。

しかし、手紙だけを頼りにしていたら、『深夜特急』は現在あるようなかたちのものにはならなかっただろう。手紙は貧乏旅行者の喜怒哀楽は記されていても行程や費用といった細かいところは省略されている。ところが、いざ書こうという段になると、そうした細部が重要なものになってくる。その細部が残されていたのが、何冊かのノートに記された金銭の出納だった。極端に貧しい旅をしていたため、一日の行程に沿って出ていった金額を克明に記帳していたのだ。そして、今日は使い過ぎたといっては意気消沈し、今日は倹約できたといっては喜んでいた。要するに、子供のときの小遣い帳のようなものをつけて、あとどれくらい金が残っているか、だとすればあとどれくらい旅ができるかを確かめていたのだ。

紀行文を書くに際してとりわけ役に立ったのは、そのノートによってどんなものを食べたり飲んだりしていたのか、それがいくらくらいだったかわかるだけでなく、その一行一行が日々の行動をはっきり思い出させるものになっていたことである。

たとえば、八月九日のページには次のような記載がある。

10・00　パレザ・ガート駅着

10・15　パレザ・ガート発
汽船1・0
チャイ0・3
11・10　マーヘンドラ・ガート着
11・35　パトナ駅着
チャイ0・3
1・00　パトナ駅発
チャイ0・25
エクスプレス9・5
6・00　ベナレス駅着
リキシャ1・5
7・30　安宿着
エビカレー3・5
ライス1・5
税金0・5
マンゴー2・0（キロ）

行の最初の数字が時間なのは歴然としているが、そのあとの数字の単位はインドの通貨単位でルピー、当時のレートで三十五円くらいだった。チャイはミルクティー、リキシャは自転車で引く人力車のような乗り物、つまり一杯のミルクティーが十円で、タクシーがわりの乗り物が五十円ほどだったということになる。これによれば、昼間は紅茶だけで済ませ、夜になってようやくカレーを食べていることがわかる。その帰りに、露店でマンゴーを一キロ買ったのだが、熟れすぎていて困ったことなども思い出されてくる。

これが記されているのはノートの見開きの左ページであり、右のページにはちょっとした心覚えのような単語や固有名詞が書き留められている。

アラン
汽船　微風
フランス人の一隊「ラ・マルセイエーズ」
ベナレスの熱気
ニーランニャムの優しさ

これだけではさっぱりわからないだろう。

たとえば「アラン」だ。

この前日の八月八日にネパールのカトマンズを出発した私は、夜行列車を乗り継いでインドに抜け、十時にパトナの対岸の駅であるパレザ・ガート駅に着いた。そこからパトナを経由してベナレスに行くためには、ガンジス河を汽船で横断しなくてはならない。汽船には夜行列車を待っているときに駅で知り合ったイギリスの若者と一緒に乗船した。アランというのはこれからニュージーランドに向かうというその若者の名前だった。

ノートでは《10・15 パレザ・ガート発 汽船1・0 チャイ0・3 11・10 マーヘンドラ・ガート着》と《アラン 汽船 微風》としか記されていない汽船での短い航海について、知人に出した手紙ではこう書かれている。

《汽船に乗ってガンジス河をわたりました。甲板に坐って風に吹かれていると「ようやく危地を脱したのだ」という感じがしてきます。何か言いたいのですが、うまく言葉が出てきません。そんな時、アランがポツンと言います。

「ブリーズ・イズ・ナイス！」

うまいなあ、と思います。当たり前のことだけど、ほんとうに上手に英語を使うのです》

この手紙をもういちどノートと突き合わせてみると、そのときの船の上の情景がくっきりと浮かんでくる。殺人的な混みようだった夜行列車での疲労感と、甲板で手足を伸ばして横たわれたときの解放感。ホッとして飲むチャイのおいしさとその値段。ガンジスを渡る風の心地よさとアランの言葉の響き。それらのすべてがひとつの絵柄として眼の前に浮かんでくるのだ。

そこで、私はそのシーンを『深夜特急』で次のように描くことになった。

思い切り手足が伸ばせる幸せを味わいながら、甲板に坐ってチャイを飲み、河を渡る風に吹かれていると、カトマンズからの三十時間に及ぶ強行軍が、もうすでに楽しかったものと思えてきそうになる。なんと心地よいのだろう。その気持を言い表わしたいのだが、どうしても適切な言葉が見つからない。

すると、放心したような表情で空を眺めていたアランがぽつりと言う。

"Breeze is nice."

うまいなあ、と思う。イギリス人なのだから、英語を上手に使うのになんの不思議はないけれど、それにしても、単純な単語を単純に並べただけのこの言葉の美しさはどうしたことだろう。ブリーズ・イズ・ナイス。本当にそよ風は素敵なのだ……。

このようにして、少しずつ『深夜特急』はかたちになっていった。

わたしもこんな旅をしたかったという老婦人の手紙に励まされた

実際に紀行文としての『深夜特急』を書くうえで大きな影響を受けた人がいる。

ひとりは、小学館の編集者で白井勝也という人だった。白井氏はマンガが専門ということもあり、一緒に仕事をすることはなかったが、たまに会って食事をするという関係が長く続いていた。白井氏は、そのときどきでよく読まれているマンガを持ってきてくれたり、マンガ界の状況についての話を聞かせてくれることがあった。

その中で、私がもっとも強い印象を受けたのは、マンガの世界はアクションからリアクションの時代に入った、という言葉だった。

それは、主人公が試合を通してスポーツの頂点を目指したり、恋愛を暴力や事件とからめながら展開させていく作品から、微妙な感情の揺れや些細《ささい》な出来事を通して人物を描いていくマンガへの変化を予告する言葉だった。

これまでのマンガは、梶原一騎《かじわらいっき》に代表されるように、主人公がアクションをするものが主流だった。ボクシングマンガも野球マンガも恋愛マンガさえも「アクション」だった。しかし、いまは、「リアクション」の時代になっている。主人公がどのような「アクション」をするのかではなく、どのような「リアクション」をするのかが大切になっている。

白井氏は、そう言ったあとで、これから自分が創刊しようと思うマンガ雑誌の「スピリッツ」は、まさに「アクションからリアクションへ」という流れを加速するものになるかもしれない、と付け加えた。

私は、『深夜特急』を書き進めていく過程で、その白井氏の言葉を何度となく思い出すことになった。

重要なのはアクションではなくリアクションだというのは、紀行文でも同じなのではないだろうか。どんなに珍しい旅をしようと、その珍しさに頼っているような紀行文はあまり面白くない。しかし、たとえ、どんなにささやかな旅であっても、その人が訪れた土地やそこに住む人との関わりをどのように受け止めたか、反応したかがこまやかに書かれているものは面白い。たぶん、紀行文も、生き生きとしたリアクションこそが必要なのだろう。

そして、こう考えるようになった。旅を描く紀行文に「移動」は必須の条件であるだろう。しかし、「移動」そのものが価値を持つ旅はさほど多くない。大事なのは「移動」によって巻き起こる「風」なのだ。いや、もっと正確に言えば、その「風」を受けて、自分の頬が感じる冷たさや暖かさを描くことなのだ。「移動」というアクションによって切り開かれた風景、あるいは状況に、旅人がどうリアクションするか。それが紀行文の質を決定するのではないか。

それは、もしかしたら私立探偵の出てくるハードボイルド小説の構造と似ているのかもしれない。ハードボイルド小説における私立探偵、プライヴェート・ディテクテイヴは都市を紀行する旅人なのだ。彼らは事件を解決するためにアクションを起こす。だが、実際は、それによって遭遇する状況や人物に彼らがどうリアクションするかを見せてくれているのだ。フィリップ・マーロウもリュウ・アーチャーも、彼らが事件を解決できるかどうかは本質的な問題ではない。読者にとっての醍醐味《だいごみ》とは、彼らが都市を「旅」する過程で遭遇する「風」にどうリアクションするかなのだ。

リアクションを大切に、というのは書いていくうえでの心構えのようなものに近かったが、書いていく中で具体的な影響を受けた人がいる。

それは色川武大《たけひろ》だった。

色川さんとは銀座のはずれの小さな酒場で初めて会って以来、さまざまな機会にさまざまな話をすることになった。博打《ばくち》の話を二人でひたすらしたのは一回だけだったが、そうでないときにも、文学や芸能の話を通して、やはり博打について語ってくれていたものだった。

その色川さんと付き合っているうちに、『深夜特急』の旅におけるマカオでの体験がしだいに大きな意味を持ちはじめた。本来は、香港からマカオに行き、つい大小という一種の丁半博打に熱くなり、あわや大金をすってしまいそうになったというだけのことだった。しかし、色川さんの眼を通して眺め返したその三日間の博打の展開には、さまざまに面白い要素が詰まっていたということに気がつくことになったのだ。

たとえば、丁半博打に必勝法はないという考え方がある。もちろん、確率論的に言えば、必勝法はありえない。丁も半も、無限に繰り返していけば、出る確率は五分五分になってしまう。短期的に五分以上の率で丁半を当てることができたとしても、長期にわたれば五分の確率に落ち着き、博打としては胴元にテラ銭分だけ吸い上げられていくことになる。だから、必勝法はないというのだ。

しかし、必勝法がありえないところに必勝法を見出《みいだ》そうとするのが博打の醍醐味でもある。客が必勝法を狙《ねら》うとすれば、胴元だって狙わないはずがない。胴元やディーラーがテラ銭以上のものを欲しがるとき、必要以上の動きをすることになる。実は、そのときこそ、客の側の付け目でもあるのだ……。

私は、そんな色川さんの話を聞いたり、文章を読んだりしているうちに、マカオで経験した大小という博打にまったく違った光が当たるような気がしてきた。ディーラーと客、ディーラーと私、客と私、といった者同士のやりとりが、新たな意味を持って見えるようになってきた。

恐らく、色川さんと出会わなければ、マカオの章はもっと短くなっていただろう。

もしかしたら、旅から長い時間が経《た》っていたということは、マイナスよりプラスの方が大きかったかもしれない。自分の旅を読み直すというときの、その読み方が深くなった可能性があるからだ。時間が自分の旅をいくらか相対化してくれ、主人公の「私」に対してほんの少しだが距離を取らせてくれることになった。

まさに、それは時間の効用とでもいうべきものであったろう。

しかし、新聞連載を始めたものの、最初のうちは、こんな話をいったい読者の誰が読んでくれるのだろうかと虚《むな》しさを覚えることもないではなかった。

それでなくてもおよそ旅のガイドブックとしては役に立ちそうもないうえ、十年も前の旅の話なのだ。どういう関心を抱いて読んでくれる可能性があるのだろう。たぶん、産経新聞の編集者である篠原氏と私の家族くらいしか読んでいないだろう……。

とりわけ、マカオの章を書いているときはその思いが強かった。のちに、『深夜特急』全体の中でもマカオの章がもっとも印象的だったという人に多く出会うようになって驚かされることになるが、書いているときは、こんな大小などという博打のことを誰が読んでくれるのだろうと絶望的になっていた。

ところが、連載を開始して、二カ月を過ぎるころから、篠原氏を通して、読者の手紙というのがポツポツと届けられはじめた。たとえば、七十を過ぎたという老婦人からは、わたしが若かったら、そしてあなたのこの「深夜特急」を読んでいたら、きっと同じような旅に出たことでしょう、これからも楽しみに読みます、という長文の手紙をいただいたりした。そうか、このような年齢の方も楽しみに読んでくださっているのか。そうした手紙は、読み手の反応がわからないまま書いている私を励ましてくれた。

一年の旅を一年かけて描く。

その予定で始めた仕事だったが、予想以上に長くなっていった。それは、私の書き方に原因があった。新聞連載は待ったなしである。そのため、『一瞬の夏』と同じように、あらかじめ連載前にかなりの量を書き溜《た》めておいた。それを一日分の長さである三枚にして書き直す。それを続けているうちに、書かれたものが想定していた回数に収まらなくなってきた。それはある意味で当然で、二度目の執筆時には、より正確になり、細かくなるため、どうしても長くなってしまうのだ。そのため、やがて一年になろうとしているのにまだイランまでしか到達していないということになった。そして、いつになったらロンドンに到達するかわからないという状態になった。

ある日、担当の篠原氏が言いにくそうに切り出した。

実は、このあと、池波正太郎氏の連載が予定されている。池波さんは予定が詰まっていて、もしこれ以上待たせるなら、降りるといっている。申し訳ないのだが、そろそろ切り上げてくれないか。

新聞社としては、私の連載より池波正太郎の連載の方が重要なのは当然である。私はあと二カ月待ってもらうことにして、そのあいだに収拾することにした。

どうやってもロンドンまで行き着きそうもない。それなら、とりあえずイランのイスファハンまで書くことにしよう。しかし、そこまでだといかにも唐突なので、最後に以前書いたことのある「絹と酒」を利用してギリシャからイタリアまでの航海を書く。そこでいかにも終わるという雰囲気を漂わせる。
そのようにして、十五カ月にも及んだ連載にいちおうの決着をつけることになった。

作品のイメージを決定してくれたのはカッサンドルの「北方急行」

新聞で連載した原稿は三百ページの本にして二冊になるくらいの分量があった。そこで、書き残した部分はしばらくしてから書き下ろしとして出すことにして、とりあえずその二冊を出版することにした。

出版元は新潮社だった。担当の初見國興氏は新潮社で以前から『人の砂漠』や『一瞬の夏』を出してくれていた。

その初見氏が、刊行のだいぶ前から言っていたことがある。「装幀《そうてい》にはこれを使いたい」というのである。

そうして見せてくれたのは、フランスのカッサンドルのポスターだった。のちにそれは「北方急行」と呼ばれるカッサンドルの最高傑作と知るが、私には初めて見るものだった。いや、そもそもカッサンドルという存在そのものもよく知らなかった。

しかし、私は一目で気に入った。装幀を引き受けてくださった平野甲賀氏も、これはいいと言ってくれた。

ところが、刊行が近づいてきたある日、本屋に行って驚いた。そのポスターを装幀に使った本が出ていたのだ。

私はがっかりして「あれは使えなくなってしまった」と初見氏に告げた。そして、平野氏を交えての打ち合わせで、どうしたらいいのかの相談をした。

すると、平野氏がその本を見て、いともあっさりと言った。

「これは別に問題にしなくていいよ。予定通りカッサンドルでいこう」

そこにはブックデザイナーとしての圧倒的な自信があるようだった。実際、できあがったデザインを見て、平野氏の言葉が嘘《うそ》でなかったことを知った。本当に、まったく「問題」なかった。

先行して「北方急行」を使っていたのは、ごく普通にポスターをカバーに配しただけのものだったが、平野氏の用い方はまったく違う大胆なものだった。カッサンドルのポスターを半分しか使わなかったのだ。いや、まるまる使っているのだが、袖《そで》から用いているため、カバー表には半分しか使われていないように見えるのだ。そして、表の残りの半分には「深夜特急」という描き文字が縦に大きく配されている。その結果、鋭さと美しさを兼ね備えたダイナミックな装幀になった。

のちに、あるグラフィック・デザイナーがこの装幀におけるカッサンドルの用い方について触れ、自分だったら絶対にできない大胆さであり斬新《ざんしん》さだったと述べていたことがあった。まさにその通りだったろう。この『深夜特急』が読者に好意的に迎え入れられた大きな理由にこの装幀があったことは間違いない。それは編集者としての初見氏の勝利でもあった。

全三冊になる予定のこの作品の一冊一冊を、それぞれなんと呼ぶことにするか。上、中、下とするのか、第一巻、第二巻、第三巻とするのか。しかし、私に迷いはなかった。私はそれを、第一便、第二便、第三便と名づけることにしていたからだ。

ふつう列車の運行に関しては「便」という言葉を使う。この本のタイトルは『深夜特急』だ。深夜を走る列車のように、一冊ずつ自分の手を離れて世の中に出ていくこの本を、第一便、第二便と呼んでも悪いことはないだろう。

初見氏は、それぞれの巻に、あとがきのようなものをつけることを望んだ。しかし、私には、まだ三巻目が書き上がっていない段階であとがきを書くことは難しかった。私が「申し訳ないけれど」と断ると、「それでは」と初見氏が言った。本のカバーの袖に「著者からのメッセージ」というようなものを入れるのはどうだろう。だが、あとがきと同じく、私には短いメッセージであっても書くのは無理なように思えた。すると、初見氏は、自分がインタヴューするから話すだけでいい、それをまとめるからと言う。それなら、ということで、私が話し、初見氏がまとめてくれたのが、カバーの袖に付されることになった「談」である。

たとえば、第二便には、次のような「談」が載っている。

《旅というのは不思議なもので、金はあればあったほうがいい、あっただけのものを見ることができる。それは確かだけれど逆も真で、金がなければないほど良く見えるという側面もある。出来ることなら若いうちは、なければないほど見えるという旅をしたほうがいいと思います。少なくとも、この『深夜特急』の旅の時には、僕には必然的に金がありませんでしたから、通過してゆく土地土地で人々と関わり、その親切を食って生きてゆくという感じでした。そこから見えてくるものが実に沢山ありました。（筆者談）》

ここで述べられていることは確かだと思う。

のちに、この『深夜特急』は、旅行雑誌の「旅」を出していたＪＴＢが主催の「紀行文学大賞」を受賞することになる。その選者のひとりで、選評に《殆《ほと》んどバスだけに頼つての大貧乏旅行でありながら、元手はたつぷりとかかつているといふ、ある種の豊かさを感じる》と書いてくださった阿川弘之氏に、その授賞式で初めてお会いすると、こんなことを言われてしまった。
「貧乏な旅もいいけど、今度はひとつ、飛び切り贅沢《ぜいたく》な旅をしてみてはいかがですか」
なるほど、それは面白いと思った。阿川さんが言う「贅沢な旅」というのは、精神的なものではなく、金をたっぷり使う大名旅行を意味している。世界一周のクルーズに乗り込むとか、ファーストクラスの飛行機で移動して高級ホテルに長期滞在するというような旅だ。しかし、紀行文を書くための旅としては、かなり難しい旅だといえなくもない。その贅沢さを上手に味わえない人にとっては、まさに「猫に小判」のようなものだからだ。

そしてもうひとつ、金を使うということは、旅をスムーズにさせるということにつながる。できるだけ快適な旅にしたいとは誰でも思う。しかし、そのスムーズさが、その旅を深めてくれるかというと、そう簡単なものではない。少なくとも、『深夜特急』の場合には、金がないために摩擦が生じ、そのおかげで人との関わりが生まれ、結果として旅が深くなるということがよくあった。

単行本化に際して、最後に問題になったのが写真をどうするかということだった。

カメラを売り払わなかったおかげで、あるていどの写真が残されることになった。その中には、思い出深い写真もないわけではない。

しかし、最終的に載せないことにした。旅した土地の風景は写真の方がうまく伝えられるかもしれない。あるいは関わった人々の風貌《ふうぼう》を雄弁に物語ってくれるかもしれない。だが、私は文章だけで勝負したかった。文章だけで、その土地の空気感までも表現できれば、と願ったのだ。

その思いを初見氏はすぐに理解してくれ、写真は載せないことになった。しかし、同時に初見氏は、地図については簡単なものでいいから載せましょうと強く主張した。私はそれすらも載せないつもりだったが、そこは折れることにした。だが、いまになると、やはりそれくらいは必要だったかもしれないと思ったりもする。

ともかく、このようにして、『深夜特急』の第一便と第二便は世の中に出ていくことになったのだ。

変なときに出さないでくださいよ、と若者は言った

当初、第三便はすぐにでも出す予定だった。

第一便と第二便の著者インタヴューなどを受けるたびに、第三便も半年後には出せると思いますなどと答えていたが、それは大嘘になってしまった。実際に出たときには六年もたっていたからだ。

構想もまとまっており、ほとんど書くべきことも決まっているのに、書けなかった。書けなかった理由はいくつかある。

ひとつは、やはり連載という重しがなくなったとたん、ほっとしてしまったということがある。

もうひとつは、ロバート・キャパの伝記の翻訳や、近藤紘一《こういち》氏の遺稿集とも言うべき『目撃者』の編集といったことに、予想外の時間が取られたということがあった。

だが、最も大きな理由は、第三便で書くべき旅がむずかしいところに差しかかって

いたということがあったからだった。

旅は西南アジアからヨーロッパに差しかかる。トルコまでは旅が向こうからやってきていたが、ギリシャから先はこちらが動かないかぎり、旅が向こうからやってくるということはない。

しかも、旅自体の変化ということがあった。

第一便が初々《ういうい》しい青年期の旅を描いたものだったとしたら、第二便は成熟した壮年期の旅だったかもしれない。そして、トルコ以降を書くことになる第三便は、必然的に終末に向かう老年期の旅になっていた。どのように旅を続けていくか。つまり、どのように旅を終わらせるかが重要なテーマにならざるをえない。それを書き切るにはかなりの技術が必要だった。

さらに、第一便と第二便について新聞の時評で取り上げてくれた高田宏氏の意見というものがあった。

旅行者が多くなり、旅が日常化するとともに、旅をより深く生きる者たちが出てきている。『深夜特急』の沢木耕太郎もユーラシア大陸を東から西へ貧乏旅行をつづけるのだが、ここにあるのは外界を見る目ではない。文明批評家の目ではない。

自分の内部をのぞきこむ目である。自分の内奥《ないおう》から目をはなすことができない。旅が、ことさらに、それを強いてくる。『深夜特急』はおそらく、『何でも見てやろう』以後の、この種の作品の最大のものであり、二冊の本はつねに比べられることになろうが、小田実の旅と沢木耕太郎の旅は、外見に似たところは多いけれども、明らかに異質のものである。

繰り返し言えば、この四半世紀で旅が深化されたのであり、また、二人の若者の生きる時代が変わってしまったのでもあり、それに加えて二人の著者の資質も別なのである。『何でも見てやろう』を優れた文明批評と読むことはできても文学作品と呼ぶことはためらわれる。『深夜特急』は、旅のなかで自分の底に降りてゆく、これは一つの文学作品である。

そして、これに続けて高田氏は次のように書いていたのだ。

《なお、この作品は全三冊の予定で、そのうち二冊が今回刊行されているけれども、私には、東京を出た著者が一年ちかくたってイスファハンにたどりついている二冊目で、すでに完結していると思える。現実の旅はロンドンを終点としているようだが、何も旅の全行程を作品にすることはない》

私も、あるいはそうかもしれない、と思わないでもなかった。

だが、私には書かなくてはならない義務があった。馬鹿なことだが、第一便と第二便の目次に第三便の章立てを刷り込んでしまっていたのだ。もし、それで書かないということになれば、第一便と第二便の目次が嘘だったということになってしまう。それは美しくないと思った。

友人によれば、大きな書店のレジの横に「『深夜特急』は出ません」と書いた紙が貼《は》られているのを見たという。もしそれが本当だとしたら、私がさまざまなところで「来年の春には」とか「今年の秋こそ」などと嘘をつきつづけていたので、書店側も客に「もう出たか」と訊《たず》ねられるのが面倒になったのだろう。

ずるずると遅れていたが、新潮社で出していた「マザー・ネイチャーズ」という雑誌のために何かを書かなくてはならなくなり、なかば苦し紛れという感じですでに書いてあったトルコの章を整理して載せてもらった。すると、不思議なことに、それが契機となって書きあぐねていたところも筆が進むようになった。

そして、一九九二年の夏、ようやく次のような「あとがき」を書くところまで辿《たど》り着くことができたのだ。

あとがき

長かった、と思う。

もちろん、香港からロンドンまでの道程《みちのり》が長かった、ということもある。しかし、それ以上に長かったのは、二十代の旅の一部始終を、と書き起こした「第一便」の第一行目から、この「第三便」のあとがきに到《いた》るまでの時間だ。長かった、とやはり思う。

この『深夜特急』の旅については、日本に帰った直後から、何とか文字化しようという努力を続けていた。いくつかの試みもしたのだが、常に断片的なものに終わっていた。それをひとつのものにまとめる機会を与えてくださったのは、産経新聞文化部の篠原寛氏だった。この「第一便」と「第二便」は夕刊の小説欄に一年三カ月にわたって連載されたものがもとになっている。

連載の予定期間をはるかに越えてもロンドンに着かないため、イランでいちおう筆を措《お》き、残りは書き下ろしでということになった。「第一便」と「第二便」を同時に刊行した時には、「第三便」もすぐに出せるものと信じていた。だが、それは実に長い「すぐ」ではあった。優に六年はかかってしまったのだから。

理由はいくつかあるが、書き終えたいまはどうでもいいことのように思える。この六年が、この「第三便」には必要だったのだという気さえする。人は、深く身を浸したことのある経験から自由になるのに、ある程度の時間を必要とするものらしい。

ここに記された『深夜特急』の旅の以後も、私は数多くの旅に出ている。しかし、それらの旅はどこかで『深夜特急』の旅の影響を受けざるをえなかった。つまり、あの旅ほどの徹底性を持たないそれ以後の旅には、常にいくらかの不満が残ることになったのだ。『深夜特急』の旅とは別の、まったく異なる種類の旅ができるようになったのは、ごく最近のことである。この「第三便」を出すことで、私はさらに自由になれるように思う。

旅の『深夜特急』に同行者はいなかったが、書物の『深夜特急』には常に変わらぬ同行者がいた。新潮社の初見國興氏は、遅れに遅れた「第三便」について、苦情らしい苦情をひとことも洩《も》らさず、ただひたすら待ちつづけてくれた。書物の『深夜特急』がどうにかロンドンまで辿り着けたのも、初見氏の忍耐と友情があればこそだった。

もし、この本を読んで旅に出たくなった人がいたら、そう、私も友情をもってさやかな挨拶《あいさつ》を送りたい。

恐れずに。

しかし、気をつけて。

一九九二年九月十九日

沢木耕太郎

第三便の刊行スケジュールが決まり、その告知がいろいろなところに出るようになったある日のことだった。

小さな会合にスピーカーとして招かれたあとの懇親会のような場で、ひとりの若者が近づいてきた。

「第三便を出されるんですか」

ずっと待っていましたというようなことを言ってくれるのかなと甘い期待を抱きな

がら私は言った。

「そうなんですよ、ずいぶん遅くなってしまったけれど」

しかし、それに対する彼の言葉はまったく予想外のものだった。

「変なときに出さないでくださいよ」

彼によると、『深夜特急』の第一便と第二便を読んでどうしても旅をしたくなり、日本を飛び出してしまったのだという。結局、それは二年もの長きにわたって外国を放浪することになってしまったが、その旅を切り上げ日本に帰ってからは会社に就職しておとなしく二年働いた。今年は初めてボーナスをもらう喜びも知った。それなのに、と言うのだ。妙なときに第三便を出して、せっかく落ち着いた気持を乱さないでほしい……。

「出す方にも事情はあるんでしょうけど、読む側の事情も考えてほしいですね」

彼は口元に笑みを浮かべながらそう言った。

それは、ある意味で、逆説的に述べられた賛辞とでもいうべきものだったが、何分の一かは本音であったろうと思えた。確かに、読む側にもいろいろな事情があるはずなのだ。

出したこと、出せたことでようやく安心できるようになった。気になっていたことがなくなって清々したが、第三便の出版はそれだけに終わらなかった。

のちに、私は檀一雄の妻であるヨソ子さんのモノローグによって一組の不思議な夫婦のありようを描くことになる。その『檀』という作品を書き終え、しばらくして檀ヨソ子さんにお会いすると、こう言われた。あなたに話し、書かれた文章を読んだことで、これまで自分の内部に確かに存在していた檀一雄が消えてしまった、と。

それはよく理解できた。『深夜特急』の第三便を書き終えたときの私がそうだったからだ。第三便を書くまで、あの旅は私の内部で生きつづけていた。生々しくうごめいていたと言ってもいい。ところが、書いて、作品として定着することで、その生々しさは消えてしまった。そして、遠くなっていってしまったのだ。

たぶん、そのとき、あの旅はひとつの死を迎えることになったのだろう。『深夜特急』として命を与えられることによって。

第五章　旅の記憶

旅には適齢期というものがあるのかもしれない

この『深夜特急』という作品は、幸運にも若い人たちに読まれるということもあって、出版社に勤める若い女性に会ったりすると、冗談めかしてこんなことを言われるようになった。

「沢木さんはひどい。私の恋人はあれを読んで旅に出ちゃったんです」

実際、『深夜特急』を読むと、なぜか旅に出たくなって困るというような話も、何度となく耳にするようになった。

そうした反応はまったく予想もしていないことだったので、面と向かって言われるたびに、ただ笑ってやりすごしていた。

そうこうするうちに、今度は「二十六歳になったので、会社を辞めて日本を出ることにした」という人が現れるようになった。『深夜特急』の主人公が旅に出たのが二十六歳だったから、というのだ。

私が二十代のときに影響を受けたひとりにイラストレーターの黒田征太郎氏がいる。その黒田さんがよく「男は二十六歳までに一度は外国に出た方がいい」と言っていた。なぜかというと、それはただ単に自分が二十六歳のときにアメリカに行ったからというにすぎないのだ。ところが、その黒田さんに影響された私もまた、結果として二十六歳でユーラシアの旅に出ることになった。そのため、『深夜特急』を読んだ人は、二十六歳ぐらいになるとなぜか焦《あせ》ってしまうらしい。「俺もそろそろ日本を出なければいけないのではないか」と。どうやら、私は何人もの人の道を誤らせているらしいのだ。しかし、私は心のどこかで、行かないより行った方がいい、出ないよりは出た方がいいと思っているところがある。だから、責任を問われるのは困るとしても、「道を誤る」ことがさほど悪いとは思っていないのだ。

なぜ二十六歳なのか。いや、なぜ、異国への旅に関して出発の年齢にこだわるのか。それについては、ひとつ「食べる」ということを例にとって考えてみることにしようか。

二十代の前半の私には、食べるものすべてがおいしく感じられていたためか、なにがなんでも「おいしいもの」を食べたいという願望はなかった。食べるものがおいしいというのと、おいしいものを食べようとするというのとはまったく違う二つのことなのだ。

当時、私のホームグラウンドだったTBSの「調査情報」では、編集部の全員がとても食べることの好きな人たちだったため、なにかというとみんなで呑《の》み、食べる会を催していた。オフィスの場所が赤坂だったから、周囲には有名な料理屋や「知る人ぞ知る」というようなレストランが何軒もあった。頻繁にそういう店に連れられていくうちに、私も以前よりは食べるということに意識的になったかもしれない。しかし、そのときですら、おいしいものを食べる、ではなくて、食べさせてもらったものがおいしかった、というにすぎなかった。

だから、『深夜特急』の旅に出たときも、おいしいものを食べようという意識はほとんどなかったと思う。まず、おなかを満たすこと、それもできるだけ安くおなかを満たすことが最も大事なことだった。それは必然的にその土地の人が食べている物を食べるということにつながった。しかし、それを難なくこなしていくためには、食べ物に対する一種のトレランス、寛容さが必要だったかもしれない。私はその寛容さだけは充分すぎるほど持っていた。どんな肉でも魚でも野菜でも食べられないということがない。どんな調理法でも、どんな香辛料が使われていようと、辛くても辛くなくても、匂《にお》いがあっても匂いがなくてもかまわない。一年に及ぶ旅で、食べられなくて困ったということがまったくなかった。

中華料理。タイ料理。マレー風料理。インド料理。羊を中心としたシルクロードの料理。トルコ料理。ギリシャ料理。私にはどれもおいしかった。そして、海を渡ってイタリアに足を踏み入れてからは感動のしっぱなしだった。イタリアではどんなみすぼらしいレストランに入っても、パスタだけは絶対においしかったからだ。それも、トマトを使ったポモドーロのようにシンプルなパスタほどおいしい。のちに、日本に帰った私は友人たちによくこんなことを言うようになった。

「大阪のうどん屋のうどんとイタリアのレストランのパスタは絶対にはずれがない」

ところが、残念ながら、近年はイタリアもファストフードのようなパスタ屋が出現して、スパゲティーもアルデンテで出せないようになってしまった。つまり、私の「イタリアのパスタ絶対論」は事実と異なるようになってしまったのだ。しかし、一九七〇年代のなかばくらいのイタリアのレストランのパスタは絶対にまずいものがなかったと断言できる。

イタリアの先の、スペインの食べ物もおいしいものだったし、ポルトガルの魚料理もおいしかった。フランスではレストランだけでなく、市場で買う食べ物のすべてがおいしかった。金を倹約するために、ミルクとバゲットとジャムだけで済ます朝食も悪くなかったし、牡蠣《かき》を一ダースと安い白ワインを一本買って食べる夕食も、最上のレストランで食べているような気分にさせてくれるものだった。イギリスには特別な感動はなかったが、まずいなとは思わなかった。

フランスのレストランで、といっても主としてパリのカルチェラタンのレストランだが、とくに思い出の深い料理はカモ料理だった。ちょうどパリに着いたときは冬だったので、野生の鳥獣を供するジビエの季節でもあった。もちろん、高級なジビエ料理は食べられなかったが、カモ料理は何度か食べることができた。日本でよく食べていたカモ鍋《なべ》は大根おろしで食べるあっさりしたものだったが、パリのレストランでは血のしたたるようなカモのグリルが出てくる。初めての私にはこれもまたおいしいものだった。

つまり『深夜特急』の旅では、飲むもの食べるものどれもおいしいと思っていたのだ。気がつくと丸一日バナナしか食べていなかったというような日もあったが、ほとんどは地元の人が食べるようなものを食べて、それで満足していた。ひとつには地元の人が食べるものがもっとも安くておいしいということがある。しかし、毎日、毎日そうしたものをおいしいなおいしいなと思って食べていたのは、やはり私が若かったからということがあるような気がするのだ。

これはとても平凡なもの言いになってしまうが、若いということはやはり、あまり物事を知らないということと同じだと思える。とりわけ私の二十代の頃は、現代のように誰も彼もが食べ物に関して「おいしいもの」を求めて血眼になっているというような時代ではなかった。

振り返ってみて、もしいまあのとき食べたのと同じものを食べたとしたらどうだろう、もしかしたらあまり感動しないかもしれないな、と思ったりもする。たとえばパスタも、カモ料理も、それ以後いろいろな土地のいろいろなレストランで食べることを繰り返しているうちに味の尺度ができており、あの頃ほどナイーブに感動できないと思うからだ。

つまり、あの当時の私には、未経験という財産つきの若さがあったということなのだろう。もちろん経験は大きな財産だが、未経験もとても重要な財産なのだ。本来、未経験は負の要素だが、旅においては大きな財産になり得る。なぜなら、未経験ということ、経験していないということは、新しいことに遭遇して興奮し、感動できるということであるからだ。

もしそうだとするなら、旅をするには幼ければ幼いほどいいということにならないか、という疑問が湧《わ》いてくるかもしれない。しかし、それはそうならない。極めて逆説的な言い方になるが、未経験者が新たな経験をしてそれに感動することができるためには、あるていどの経験が必要なのだ。

経験と未経験とがどのようにバランスされていればいいのか。それは「旅の適齢期」ということに関わってくるのかもしれない。

旅の適齢期というのは、同世代の山口文憲氏と話しているときに出てきた言葉で、私も山口さんもたまたま二十六歳のときに外国への長い旅に出ている。それで、二十六歳くらいが外国への長い旅に出るにふさわしい、いわば適齢期ではないかという話になったのだ。手前勝手な話だが、確かに、そのくらいの年齢のときがちょうど旅に必要な経験と未経験を二つ併せ持っているのではないかという気がする。食べるものに関しても、特別な人でないかぎり、経験を持ちすぎているということもないだろうから、新しい経験に敏感に反応できるはずなのだ。

私は、『深夜特急』の旅以降もずいぶんいろいろなところに行っている。この十年に限っても、南米のアマゾンをはじめとして長い旅を何度もしてきている。中でも、強く印象に残っている国のひとつにモロッコがある。

モロッコへは海路を使って入った。スペインのアルヘシラスから地中海をフェリーで行くと、アフリカ大陸の玄関口でもあるタンジールという港町に着く。私はそこからアシラ、カサブランカを経てマラケシュに行った。

マラケシュというのは私にとってとりわけ思いの深い土地で、『深夜特急』の旅のとき、イベリア半島から海を渡って行こうかどうしようか迷いに迷ったあげく、結局行かなかったということがあった。行っていれば『深夜特急』の旅がどういうものになっていったかわからないが、あのとき行っていれば……とはそのあとで何度も考えることがあった。

そのモロッコにようやく行くことができたのは、『深夜特急』の旅から二十五年後のことだった。

マラケシュでエキサイティングな日々を過ごした私は、サハラ砂漠に向かった。

モロッコでもカサブランカやラバトという都市は大西洋に面しているが、マラケシュはかなり内陸に入ったところに位置している。さらにその奥にアトラスという山脈が横たわっていて、そこを越えるとサハラ砂漠になる。つまりモロッコは、アトラス山脈に防護されて、砂漠化を免れているといってもいいくらいなのだ。

私が行ったのは五月だったが、アトラス山脈にはまだ雪があった。雪のアトラス山脈を越えていくと、確かにその向こうに灼熱《しゃくねつ》のサハラ砂漠がある。しかし、そうは言っても、実際に行ってみると、山のふもとからすぐに砂漠が広がっているわけではなかった。バスやランドクルーザーなどに乗って一日かけて行くと、ようやく砂漠の「ほとり」に着くことができるのだ。

私はその「ほとり」の小さなコテージに泊まり、砂漠の周辺や砂丘の奥などを好きなときに好きなように歩きまわっていた。一度は砂丘の奥で自分の足跡を見失い、あやうく「遭難」しかけるなどということもあったが、頭を絞ることでなんとか生還でき、それがまた面白かったりもした。

客は私ひとりしかいなかったが、ある日、白人のカップルが一組やってきた。彼らはキャンピングカーで来ていたので、コテージに寝泊まりする必要はなく、ただ食事をするためだけの客だった。

その最初の夕食のとき、二人は自分たちが持参した缶ビールを呑みはじめた。それが私の眼にはとてもおいしそうに映った。

モロッコはイスラム圏の国だから、宿屋でも食堂でも基本的には酒を出してはいけないことになっている。そして、このコテージもアラーの神に忠実であろうとしているのか酒を置いていなかった。

私はいくらでも酒が呑める体質だが、不思議なことにどれほど酒を呑まなくても平気なたちでもある。別に一カ月や二カ月、酒を一滴も呑めないとしてもまったく困らない。しかし、この暑い砂漠で、冷えたビールの缶を見ると、やはりたまらなくなってきた。そこで二人に頼んでみた。

「一本、譲ってくれませんか」

すると、二人は快く応じてくれ、男性がキャンピングカーに引き返して、冷蔵庫から一本持ってきてくれた。スペインのビールだったところからすると、モロッコに渡ってくる直前に買い溜《だ》めしておいたものだったのだろう。私は金を払うつもりだったが、二人は受け取ろうとしなかった。

それがきっかけで、三人でビールを呑みながらあれこれ話をすることになった。そして、結局、私は三本も貴重な缶ビールを呑ませてもらうことになった。

聞けば、二人は私とまったく同じ年代のドイツ人で、結婚もしていなければ同居もしていないという「パートナー」同士だった。女性は保険会社に勤めていて、離婚したあとは未成年のお嬢さんをひとりで育てている。男性は離婚経験のある独り者で、なんとハンブルク警察の刑事だということだった。彼らは、バケーションの時期には一緒に休暇を取ってキャンピングカーでさまざまな土地を廻っているらしい。女性の娘さんは「もう子供ではないので」ひとりで過ごしてもらっているとのことだった。いろいろな話をしているうちに、男性にこれまでどういう旅をしてきたのかと訊《たず》ねられた。そこで、私は『深夜特急』の旅の話をすることになった。日本を出て、東南アジアを経て、インド、中近東、ヨーロッパを廻っていたら一年になっていたというような話をしたら、そのハンブルクの刑事が「オオーッ……」という本当に深い溜め息をついた。

すると、保険会社の女性が、彼の深い溜め息の、その深い思いを引き取ろうとでもするかのように、いたわる口調で言った。

「あなたも、本当はそういう旅をしたかったのよね。でも二十代のときにはできなかったのよね」

二十代のときの彼は、どうにかしてインドに行きたいと思っていたが、やはりまず働かなくてはならず、私のようにふらふらと旅に出ることはできなかったというのだ。

そのとき、私はとても軽い調子で「これからだってできるじゃないですか」と言った。現にこうしてアフリカに渡ってきて旅をしているのだし、ここからさらに足を延ばして中近東からアジアに行くこともそんなに難しいこととは思えなかった。

すると、その刑事はこう言ったのだ。

“Too late.”

もう遅すぎる、と。そして、その言葉を聞いた私は、そうか、そうかもしれないなと思った。彼は、主として経済的な事情で旅を後まわしにしたが、いまはあるていどの余裕ができてどこにでも旅をすることができるようになった。しかし、その旅はやはり二十代のときにしたかもしれない旅とは違うのだ。彼は彼が望んだ旅の「適齢期」を逃してしまっていたのだ。

やはり旅にはその旅にふさわしい年齢があるのだという気がする。たとえば、私にとって『深夜特急』の旅は、二十代のなかばという年齢が必要だった。もし同じコースをいまの私が旅すれば、たとえ他のすべてが同じ条件であったとしてもまったく違う旅になるだろう。

残念ながら、いまの私は、どこに行っても、どのような旅をしても、感動することや興奮することが少なくなっている。すでに多くの土地を旅しているからということもあるのだろうが、年齢が、つまり経験が、感動や興奮を奪ってしまったという要素もあるに違いない。

私は毎年クリスマス・イヴにJ-WAVEという東京のFMラジオ局で旅をテーマにした番組のパーソナリティーをつとめているが、その番組に三十代半ばの女性からメールが届いたことがある。

自分も若いうちはよく旅をした。しばらく勤めては金を貯《た》めて旅に出て、金がなくなると日本に帰ってきてはまた働いて金を貯めて旅に出る。その繰り返しがいいと思っていたけれど、気がつくと三十歳もはるかに超え、何も残っていない。まともな会社に勤めることなんか夢の夢になってしまった。リスナーの皆さんもうかうかと日を過ごしていると、ちゃんとした人生を送りそこねて、わたしのように後悔することになってしまいますよ、というのだ。

確かに、日本では一度メインストリームからはずれてしまうと、もうそこには戻れないというところがある。アメリカやヨーロッパはもう少し弾力性があるような気がするが、少なくとも日本では一度ドロップアウトした人が途中から官庁や大企業に入るのはとても難しい。私は必ずしも官庁や大企業に入ることがすべてとは思わないが、一度コースをはずれてもまた入り直すことができる可能性があるとないとでは決定的な違いがある。だから、そのリスナーの女性が言うことにも一理はあると思う。

しかし、「ちゃんとした人生」とはなんだろう、ということはあるような気がする。

名の知れた会社に入り、きちんと結婚して、何人かの子供をもうける。もちろん、そういう人生もすばらしいとは思う。しかし、旅などというのはそういう人生をきちんと送ってから、つまり定年退職でもしてからゆっくりすればいいという意見には、ハイその通りとはうなずけないところがある。

二〇〇六年、私はサッカーのワールドカップを取材するためドイツに長期間滞在していた。ドイツに行くのはこれが初めてではなかった。『深夜特急』の旅のときも、ロンドンに到着したあとでしばらくドイツ国内を旅したし、三十代のはじめにも世界一周の途中で立ち寄った。取材でも、登山家のラインホルト・メスナーに会うためや、『オリンピア』の監督のレニ・リーフェンシュタールをインタヴューするために訪れたことがある。合計すると七、八回は旅しているかもしれない。しかし、そのワールドカップのときのように長く滞在したことはなかった。一次リーグから決勝トーナメントにかけて、ほぼ一カ月ドイツにいたのだ。以前はせいぜい長くて一週間から十日くらいしか滞在できなかったから、それと比べると三倍以上の長い旅だったということになる。ところが、ドイツから帰り、過ごした日々のことを思い出すと、以前の三分の一以下しかいられなかったときの旅より印象が淡いのだ。もちろん、サッカーの試合漬けだったということもあるだろう。そのあいだに必死に原稿を書かなくてはならなかったということもある。しかし、そうした忙しさだけが理由とは思えない、妙な希薄さがあるのだ。

かつては、たとえば食べるということに関してだけでも、ヴュルツブルクの河のほとりにあった古い川魚料理屋の鮮やかな記憶がある。テーブルの上に置かれたロウソクの炎の揺らめき、グラスに満たされたビールの泡立ち、一緒にいた女性の楽しげな笑い声……。

ところが、ワールドカップの期間中に長期滞在したドイツの記憶は、どれもフラットで凹凸がないのだ。おいしいものも食べることができ、人との不思議な出会いもあり、静かな場所での静かな時間を持つこともできたのに、心を締めつけられるような思い出にはなっていない。つまり、旅の濃度が違うような気がするのだ。若いときに比べると、風景も人もすべてが淡く流れていったような気がしてならない。

かつて、私は、あるインタヴューに答えて、旅をすることは何かを得ると同時に何かを失うことでもあると言ったことがある。しかし、齢《とし》を取ってからの旅は、大事なものを失わないかわりに決定的なものを得ることもないように思えるのだ。

もちろん、三十代には三十代を適齢期とする旅があり、五十代には五十代を適齢期とする旅があるはずだ。

以前、日本の六、七十代の高齢の方たちがヴェトナムを団体で旅行しているところを見かけたことがある。これはとても楽しそうな風景だった。私も、もう少し齢を取ったらああいう旅行をするのもいいなと思ったくらいだった。

しかし、二十代を適齢期とする旅は、やはり二十代でしかできないのだ。五十代になって二十代の旅をしようとしてもできない。残念ながらできなくなっている。だからこそ、その年代にふさわしい旅はその年代のときにしておいた方がいいと思うのだ。

二つのテレビ番組と旅で変わるということ

第三便が出た二年後に六分冊で文庫化されると、『深夜特急』を映像化したいという話が頻繁に舞い込んでくるようになった。

しかし、映像化すると言っても、期間も長ければ、範囲も広大なこの旅の物語をどうまとめるのか。ドラマにするのかドキュメンタリーにするのか。いろいろな人にいろいろな案を提示されたが、どれもピンとくるものがなかった。

そのうちに、とても熱心な人が現れた。カノックスというテレビ制作会社でプロデューサーをしている小野鉄二郎氏だった。小野氏によれば、ドキュメンタリーとドラマとを融合した、まったく新しい方法で映像化したいということだった。

あまり熱心なので「できるのだったらどうぞ」ということになった。いずれにしても、実現は無理だろうと思ったからだ。しかし、小野氏は粘り強く企画を練り上げ、ついにあるテレビ局の創立記念番組として制作するというところまで持っていってしまった。

彼らの最大の悩みは主人公の「私」を誰にやってもらうかということだったらしい。最初はとても人気のあるタレントにやってもらおうと考えたが、二つの理由で断念したという。ひとつは、その人気者だとあまり長い時間を拘束できないので、旅の行程の全部を行くことができないのではないかという懸念《けねん》があったこと。もうひとつは、「私」役は外国の街を歩いているときに群衆から頭ひとつぐらい出るような人にしたいというのがあったが、その人気者では少し身長が足りないということになったのだ。

次に挙がってきたのが別の若い俳優だった。彼は私と同じくらいの身長があって、香港の雑踏を歩いていても頭ひとつぐらい出そうな人だった。ところが、そのキャスティングも寸前になって潰《つぶ》れてしまった。理由は、その俳優のマネージャーが「実は、彼は旅が嫌いなんです」と申し訳なさそうに言い出したからだという。確かに、旅が嫌いでは無理な話だったろう。そして、最終的に大沢たかおという俳優になった。私は、彼がテレビの連続ドラマに出ていることは知っていたが、実際にその番組を見たことはなく、だからほとんど知らないも同然の人だった。

私が初めて会ったときの大沢さんは、確かに背は高いが、線が細くてひ弱な感じだった。これであの苛酷《かこく》な地域の旅に耐えられるのだろうかと心配になるくらいだった。

しかし、考えてみれば、旅に出たばかりの私もほとんど似たようなものだったと思い返した。大沢さんもぜひやりたいと言うし、小野氏たちも彼で大丈夫と言うので、それでは気をつけて行ってらっしゃいとロケに送り出した。

そのようにして作られた映像版の『深夜特急』は、ドキュメンタリーとフィクションをないまぜにした不思議な作りのものになった。私の旅の道筋を辿《たど》りながら、私が経験したようなことをフィクションとして織り込んでいく。のちにそれによっていくつかの放送関係の賞をもらうことになるのだが、なかなか面白いものに仕上がることになった。しかし、その作品の制作もすべてが順調に行ったわけではなく、さまざまな困難にぶち当たることになった。

その最大のものが、「猿岩石」というライバルが出てきてしまったことだった。

大沢さんたちがドラマの制作のために旅に出ているときに、ちょうど日本では猿岩石という人たちが出てきて一大ブームを巻き起こしていた。日曜日の夜に放送されていた「進め!電波少年」という番組のひとつのコーナーに、猿岩石というお笑い芸人のユニットが出てきて、その二人が『深夜特急』と似たようなコースを辿ってヒッチハイクをするということを始めたのだ。もちろん、私に連絡があったうえでのことではない。とにかく売れない二人組の芸人を拉致《らち》するようにして日本から連れ出し、香港かどこかにポンと置き、十万円だけ渡して、あとは『深夜特急』と同じようにロンドンまで行けと命じる。予想通り、二人は与えられた金をすぐに使い果たしてしまう。だが、そこから本当の旅が始まることになる。ヒッチハイクをしたり、野宿をしたり、アルバイトをしたり、時には飢えたりしながら艱難辛苦《かんなんしんく》に耐えて旅を続けていく二人の姿を、同行しているディレクターがビデオで撮って番組で流していく。

これがすさまじいほどの人気を博した。それには、過酷な旅を続けているうちに、売れないただのお笑い芸人と思われていた二人の顔が、しだいにいいものになっていったということがあったかもしれない。実際、映像からは、旅をしていく過程で彼らがしだいに純化されていくような感じさえうかがえるようになっていったのだ。

その番組のプロデューサーとはのちに会って説明を受けることになるが、彼によると、東京六本木の青山ブックセンターという書店で、平台に並んでいる『深夜特急』を眺めているうちに、「そうだ、俺の友達に沢木耕太郎みたいなことをやろうという奴がいたが、あいつらは今頃どうしているんだろうな」とふと思ったのだという。そして、「これと同じことを誰かにやらせてみたら面白いんじゃないか、それを撮ったら面白いんじゃないだろうか」と考え、そのアイデアを猿岩石で実現させてみたというのだ。

これは番組的に大成功し、夜の十時台にもかかわらず、二十パーセント以上の視聴率を取るというほどの騒ぎになった。

猿岩石の二人は、無事ロンドンに到着したあと日本に帰ってくるや、西武球場で大観衆を集めて「凱旋《がいせん》ライブ」をやるというところまでいって、ブームは頂点を極めることになる。その頃から、私のところにもコメントをくださいという電話が頻繁にかかってくるようになった。「猿岩石についてどう思いますか?」とか、「自分の旅の模倣をされてどう思いますか」といった内容だった。私は、いわゆるコメントを発するということがあまり好きではないので、「申し訳ないけれど」とすべて断っていたが、最後には「ニューヨーク・タイムズ」からもコメントがほしいと言ってくるようになった。日本の若者たちがああいう苛酷な旅に憧《あこが》れるのはなぜなのだろうかという趣旨だったが、もちろんそれも断らせてもらった。

とにかく、猿岩石が大ブームを巻き起こしている一方で、小野氏と大沢さんたちのグループは黙々とユーラシアを移動し、撮影を続けていた。自分たちは著者に許可を得て、いわばオーソライズされたものをやろうとしているのに、全然関係ない人たちが先に『深夜特急』の一種のパロディを作って大向こうの喝采《かっさい》を博してしまった。それってなんだかまずいよなあ、というのが小野氏たちの正直な感想だったと思う。しかし、私はいったん帰ってきた小野氏たちに、猿岩石の二人にはかわいそうだけど、彼らはすぐ消えて忘れ去られていくことになると思うよと言って慰めた記憶がある。

そして、実際、やはり私の予想どおり、その「猿岩石ブーム」はあっと言う間に去っていくことになった。

それと前後して、大沢さんを主役とする「劇的紀行　深夜特急」が一作ずつテレビで放送されていった。三年がかり、三部作の大作だった。その中の大沢さんを見て私は少し驚いた。彼が明確に変化していったように見えたからだ。もちろん彼もその番組を仕事としてやっていたのだから、基本的には猿岩石の二人と変わらなかっただろう。しかし、その仕事としての旅を彼は自分自身のための旅と捉《とら》え直していったらしいのだ。大沢さんは、一作目から二作目、二作目から三作目と旅していくうちに少しずつ変わっていった。それは、旅の質が変わったためではないか、と私には思われた。

もっとも、私はそんな彼らの旅についてはまったく関与していなかった。原作者は権利を委《ゆだ》ねたらいっさい言葉を差し挟むべきではない、というのが私の基本的な考えであるからだ。しかし、出発前に一度だけ顔合わせをしたときに、もしすべてが順調にいったら、最終ロケ地のロンドンで落ち合って一杯酒を呑《の》もうという約束だけはしていた。そこで、三作目のロケのときに、私はひとりでロンドンに向かい、彼らがスペインから到着するのを待っていた。するとしばらくして、撮影スタッフの全員がロンドンにやって来た。私は、その中の大沢さんを見て、別人のようだと思った。ひとつには日に焼けていたということもあるのだろうが、最初に会ったときとまったく違って逞《たくま》しくなっていたからだ。なにか自分に対して確かな自信が持てたという印象を受けた。

その大沢さんは、日本に帰ってから番組に関するインタヴューを受け、次のように語っている。

《この仕事の話をいただいた頃の僕って、力不足を認識している一方でどんどん大役が入ってきて。自分の足で歩いてない、自分が頭打ちになっているんじゃないか、その不安感から逃げ出したかったんです。未知なものを求めて、仕事をすべて投げ出して旅に出た26歳の主人公と一緒でした。

原作に、「ふっと体が軽くなった気がした」とか、「また、ひとつ自由になれたような気がした」って表現が幾度も出てくるんですが、僕も第2弾のインド・ロケをしてる頃そんな感じを強くもった。一場面一場面完成させていく度に、重い服を一枚ずつ脱いでいったような。

だから、マルセイユで身体《からだ》を壊して医者から帰国を命じられた時も、撮影を止める気はなかったですね。ここで散るなら散るでいいかなって》

旅は人を変える。しかし変わらない人というのも間違いなくいる。旅がその人を変えないということは、旅に対するその人の対応の仕方の問題なのだろうと思う。人が変わることができる機会というのが人生のうちにそう何度もあるわけではない。だからやはり、旅には出ていった方がいい。危険はいっぱいあるけれど、困難はいっぱいあるけれど、やはり出ていった方がいい。いろいろなところに行き、いろいろなことを経験した方がいい、と私は思うのだ。

あの小太りのオッサンの雑談が……

思い返すと、『深夜特急』の旅からすでに茫然《ぼうぜん》とするほどの時間が経《た》っている。当然のことながら記憶は不鮮明になっているところもあるが、しかし、時間が経っているからこそはっきり見えてくるものもある。

たとえば、『深夜特急』の旅は、多くの人が書いた紀行文に影響されているところがある。遠くは小田実の『何でも見てやろう』に動かされて初めてのひとり旅をすることになったというところから始まって、井上靖の「アレキサンダーの道」によってシルクロードを乗合バスで行くことの背中を押され、檀一雄の『風浪の旅』によって自由な旅のスタイルを伝授された。香港では筆談をすればいいのだというアイデアが生まれたのは、雑誌に連載されていた「東南アジアレポート」をはじめとする竹中労の文章を読んでいたからだろうし、紀行文を書こうとしたとき最初の道しるべとなってくれたのは、エリアス・カネッティの『マラケシュの声』だった。

しかし、そのように明確な影響をこうむったとは自覚していないままに、あとになってそうだったのかと驚かされることがいくつかあった。あの旅はあの人のあのような深い影響下にあったのか……というように。

そのひとりが小林秀雄だった。

高校時代の私がよく読んでいた作家に小林秀雄がいる。どれくらい読んだかというと、『ゴッホの手紙』を読み終えたとき、自分は絶対に小林秀雄のエピゴーネン、つまり模倣者にはなるまいと思うほど熱心に読んだ。冗談のように聞こえるかもしれないが、心底そう思ったのだ。

しかし、いま読み返すと、のちに書くことになる大学の卒業論文には小林秀雄の悪《あ》しき模倣の気配が濃厚に漂っている。それはアルベール・カミュについての評伝的な文章だったが、なにしろ序章のタイトルからして「情熱について」という小林秀雄まがいのものなのだ。おまけに、その中にはゴッホまで登場してきてしまう。

それでも、主観的には小林秀雄のエピゴーネンにならずに済んだような気がしているが、若いときに読んだものの影響力というのは甘く見られないものだということを、だいぶあとで思い知らされることになる。

それは『深夜特急』の旅から十年が過ぎようとしていた一九八四年のロサンゼルス・オリンピックのときのことだった。

一九八〇年のモスクワ・オリンピックは、アメリカや日本などの西側諸国が、ソ連のアフガニスタン侵攻に抗議するという大義名分によってボイコットしてしまった。ところが、一九八四年のロサンゼルス・オリンピックは、モスクワの仇《かたき》をロサンゼルスでということなのだろう、ソ連を中心とする東側諸国が前回の報復としてボイコットすることを決定してしまった。

ロサンゼルス・オリンピックの取材にいくことになっていた私は、どうせロサンゼルスに行くならボイコットした国々を通過してその国の風を浴びて入りたい、それが片肺飛行となってしまったオリンピックを少しでも補完する方途だ、などと酔狂なことを考えた。そこで私は、東京からロサンゼルスまで行くのに太平洋を越えず、わざわざぐるっと反対から廻っていくことにした。ソ連からポーランドに入り、東ドイツから西ドイツに出て、大西洋を渡ってニューヨーク、そしてアメリカを横断してロサンゼルスに入ることにしたのだ。

その途中、モスクワに立ち寄ることになった。

当時のモスクワはひどくとっつきの悪い都市で、ほんの数日滞在するだけの観光客などにはチラリとでも素顔を見せてくれようとはしなかった。私は途方に暮れ、ただやたらと街を歩いていた。

ある日、モスクワ大学から行く先も確かめずにトロリーバスに跳び乗ると、それはキエフ駅行きのものだった。

バスを降りたとたん、にわか雨が降ってきた。そこで、ソ連の人たちと一緒に駅の構内で雨宿りをすることになったのだが、そこにジプシー、ロマの子ではないかと思われる少女が赤ん坊を抱いて登場した。子守をしているらしい彼女は、雨の中を濡《ぬ》れるのもかまわず歩いている。その姿は、生意気そうで、気が強そうで、しかもすごく自由そうだった。私にとってその少女は、モスクワで見る、初めての生き生きした子供だった。

彼女はしばらくして駅の構内に入ってくると、二階の待合室に上がっていった。私も思わずそのあとについていってしまった。すると、そこには彼女の仲間らしく同じように粗末な服を身にまとった少年少女たちがいて、子守のかたわら、ふざけたり、タバコを吸ったりしていた。その彼らを、二階の待合室にいる大人たちは、迷惑そうに、眉《まゆ》をひそめながら遠巻きにして見ている。その中に、父親に連れられた幼い兄妹がいて、びっくりしたようにその少年少女たちの行動を見ている。バナナを手にしているところを見ると、モスクワでお土産を買い、地方のどこかの町か村に帰っていくところらしい。私は、モスクワの小さなギャング・スターたちの様子に眼を丸くしているその二人の兄妹の様子を見ているうちに、ふと、このイワンとナターシャにモスクワ・オリンピックを完全な形で見せてやりたかったなという思いが湧《わ》き起こってくるのに気がついた。

もちろん、彼らがイワンとナターシャという名前かどうかはわからないし、そもそもモスクワ・オリンピックのときに生まれていたかどうかもわからない。しかし、その頃のソ連の至るところにいただろうイワンとナターシャに、アメリカも日本も参加した完全なオリンピックを見せてやりたくなったのだ。そこで私は、モスクワ経由ロサンゼルス行きの旅日記に、次のように記した。

《それまで、私はアメリカのモスクワ・オリンピックに対するボイコットを当然のこととして受け入れていた。アフガニスタン侵攻に抗議するという大義名分を正しいものと認めていたからではなく、スポーツだけが政治から超越した聖域になれるはずがないと感じていたからだ。現実の世界に起こることはスポーツの世界にもすべて起こりうる。だから、ソ連のロサンゼルス・オリンピックへのボイコットも、「それもありうる」と思っただけで、それ以上のことを考えようとしなかった。

だが、街に何も起こらないソ連で、いや何か起こる可能性が排除されてしまっているかに見えるソ連で、無数のイワンやナターシャにとって、オリンピックこそはこのうえない楽しみだったのではないだろうか。アメリカのジョンやメリーにとっては、オリンピックはスーパー・ボウルとワールド・シリーズのあいだに挟まった、数あるお祭りの中のひとつかもしれない。しかし、ソ連のイワンやナターシャにとっては、どれほど待ち望んだ大行事だったかわからないのだ。

イワンやナターシャの夢は、モスクワでソ連の選手たちがアメリカをはじめとするすべての外国選手を見事に打ち破る姿を見たい、というものであったろう。もしアメリカがボイコットをせずに参加していたら、ソ連選手に敗れるたびに社会主義のプロパガンダのためにいいように利用され、うんざりしたかもしれない。しかし、と思うのだ。たとえ、ソ連の選手にすべての種目で敗れたとしても、アメリカの選手は決して負けることにはならなかったのではないか、と。確かに、イワンやナターシャは、自国の選手の活躍に大喜びしただろう。だが、負けたはずのアメリカの選手が持っている、あの陽気さ、自由さにも、どこかで眼を引かれたはずなのだ。思い起こせば、東京オリンピックのときの、日本の太郎と花子がそうだったではないか。ドン・ショランダーをはじめとするアメリカの選手の、一種の向日性とでもいうべきものに、ど

れほど眼を見張らされたことだろう》

私はこの発見、というより思いつきと言った方がいいだろうものを、そのオリンピックの旅における最も重要なものと思っていた。ところが、それからしばらくして、久しぶりに小林秀雄の『考へるヒント』を読んでいて、巻末の付録風についている「ソヴェットの旅」のところにきたとき、「これは」と思った。私がモスクワの幼い子供たちに抱いた感情、視線というのは、もしかしたら小林秀雄に影響されたものではなかったか、という気がしたのだ。

小林秀雄の「ソヴェットの旅」は、ソ連に招待されて旅行したあとで書かれた紀行文である。正確には講演の速記録を文章化したものである。小林秀雄は『ドストエフスキイの生活』をはじめとしてドストエフスキーに関する論稿を多く書いているが、そのときの招待旅行が初めてのロシア旅行だった。

その小林秀雄の「ソヴェットの旅」を読み返していて、私が「これは」と思わされたのは、以前読んだときに傍線を引いてあった次の一節を眼にしたときだった。

旅行前に、ある人は、こんな事を私に言つた。ソヴェットに招かれても、どうせいい処ばかり見せてもらふだけだらうと。これも妙な考へです。客に悪いところを見せる馬鹿が何処《どこ》にゐるか。客としてもいい処ばかり見せてもらつて有難う、といふのが常識でせう。

この文章の逆説的なインパクトは、時代が東西冷戦下であったことやソ連が徹底した秘密主義を取っていたという政治状況抜きには理解できないかもしれない。しかし、それ以上に、この文章が意外性を持ったのは、保守的な思想家と目されていた小林秀雄が、社会主義国となったソ連の擁護をしている、というところにあった。ソ連の秘密主義に異を唱えていない、と。しかし、この文章をよく読んでみると、別にソ連の擁護や弁護をしているわけでなく、まさに「常識」を説いているにすぎないということがわかる。もちろん、東西の冷戦という政治状況下に、常識を説くという態度そのものが極めて政治的なのだという言い方もできる。だが、私が以前に読んで傍線を引いたのは、つまり私が心を動かされたのは、その小林秀雄の、偏見に眼を曇らされることのない、現実を大きく鷲摑《わしづか》みにして見据えるという態度そのものだったのだと思う。そして、その記憶が、キエフ駅の子供たちを見たとき、どこかで私の見方に影響を与えたのだと思うのだ。それは、眼の前のものを素直に見てごらん、という教示だったように思う。

私は『深夜特急』の旅のときも、どこかでこの小林秀雄の異国に対する態度を模倣していたように思える。いや、模倣というのは正しくないかもしれない。意識的に倣《なら》っていたというより、いつの間にか深く滲《し》み込んでいたような気がする。インドで天然痘《てんねんとう》の赤ん坊を抱いてしまったとき、慌《あわ》てふためく前に「この病気に縁があるなら仕方がない」と受け入れることができたのも、小林秀雄の精神の位置の取り方に深く影響されていたからかもしれないと思えるのだ。

もうひとり、日本に帰って、私の旅に大きな影響を及ぼしていたかもしれないと気がついた人がいる。その人は、私の「旅する情熱」そのものに影響を及ぼしていたかもしれない人だった。

私の『深夜特急』には、マカオの章で、ある人物に触れて次のような記述が出てくる。

私は大学で第二外国語にスペイン語を選択した。それによってセルバンテスを原語で読んでやろうとか、会社に入ってから役立てようとかいった真っ当な理由があったわけではなく、ドイツ語もフランス語もロシア語も中国語もやりたくなかったからという消極的なものでしかなかったが、自分でも意外なほどよく授業に出た。スペイン語の教師の話が面白かったのだ。

眼鏡をかけ、小太りで、せっかちな喋《しゃべ》り方をする。せっかちなのは、喋りたいことが溢《あふ》れるほどあるからなのだ、ということはしばらくするうちにわかってきた。彼は、九十分の授業時間のうち十五分ほど教科書を読むと、あとは必ず、その溢れんばかりにたまっている自身の話を始めた。

私が習ったスペイン語の教師は女子大から来ている非常勤講師であり、日欧交渉史とでもいうべき分野の研究者だった。とりわけ十六世紀から十七世紀にかけての南欧諸国との交渉が専門であるらしく、話はすぐにイエズス会や南蛮貿易にそれていき、いつの間にかスペインやポルトガルでの彼の研究生活の時代に飛んでいく。日本を訪れた宣教師が本国へ送った手紙などを集めてある古文書館で思いがけない一通を発見した時の感動といったものから、日本には新幹線といってマドリッドとバルセロナの間を三、四時間で走る列車があると言うと嘘《うそ》つきと思われて相手にされなくなったというどうでもいいようなものまで、話は尽きることがなかった。

そのような話の中で、南欧の都市でもないのに頻繁に口をついて出てきた都市の名が三つある。ゴアとマラッカとマカオ。それらはいずれもポルトガルのアジア貿易の前進基地としての役割を果したところである。かつての栄光の時代はポルトガルの没落と共に去り、いまは歴史の化石のような所になってしまっている。彼が話してくれたその経緯は、ゴアの場合もマラッカの場合も面白かったが、とりわけ私にはマカオが印象的だった。

マカオは、日本への生糸と日本からの銀で栄えた貿易基地だった。ところが、日本におけるキリスト教への圧力が強まるにつれて、日本との貿易が困難になっていく。東アジアにおけるイエズス会の伝道のための基地であり、マカオ市民の精神的な拠《よ》り所であった聖パウロ学院教会は、マカオの衰退と運命を共にするかのように焼失し、前の壁を一枚だけ残してすべてが潰《つい》え去ったという。

その壁の前に立った時の感動を、小太りの中年のオッサンが息もつかずに喋りつづける姿は、なかなか悪くなかった。そのような熱い心を持っていなければ、どこかの国の宣教師が書いた五百年も前の手紙の翻訳に一生を賭《か》けなどしないだろう、と思わせるものが彼にはあった。もっとも、あまりにも愛しすぎたためか、スペイン語を習いたての私たちへの試験問題にまで、十六、七世紀の宣教師が書いた手紙を使いたがるのには閉口したが……。

この「小太りの中年のオッサン」とは、のちに「南蛮学」の大家として有名になる松田毅一《きいち》である。私は大学で松田先生にスペイン語の授業を受けたことがあるのだ。私は、単に教師を教師であるというだけの理由で「先生」と呼ぶのを好まない。それは、私の気持のどこかに、ひとりの人間にとって「先生」と呼べる相手がそうたくさんいてはたまらない、という思いがあるからなのだろう。だから、小学校から大学まで数多くの教師と接していながら、素直に「先生」と呼べる教師は何人もいない。しかし、不思議なことに、教師と生徒という関係でいえば極めて淡いものしかなかったはずの松田先生に対しては、素直に「先生」と口にすることができるのだ。

それは、たぶん、松田先生が私の「先生像」に合致するところを多く持っていたからだろうという気がする。

私が大学の授業にほとんど出なかったのは、大学の教師というもの、あるいは大学の教師の講義というものにうんざりしていたからだ。その程度の話を聞くくらいなら、港のベンチで本でも読んでいた方がましだぜ、というレベルの講義が多かった。しかし、そんな私が松田先生のスペイン語の授業はかなり勤勉に出席したのだ。それが語学の授業で、出席しないと単位がもらえなかったから、というのではなかった。むしろ、松田先生は出欠については極めて寛容だったと記憶する。

スペイン語の授業そのものは極めてシンプルなものだった。先に掲げた文章に記した通り、大学書林から出ている『スペイン語四週間』をテキストとして使い、かなりのスピードで読んではどんどん前に進んでいってしまう。九十分の授業のうち十五分というのはいささか大袈裟《おおげさ》にしても、三十分以上はスペイン語の授業をしなかったと思う。そして、そのあとはいつも雑談になった。それでも、「上智大学のイスパニア語科よりも進んでいるはずです」というのが松田先生の得意の口癖だった。

私が松田先生の授業に惹《ひ》かれたのは、授業の合い間の雑談が面白かったということもあるが、それ以上に、人間としての松田先生が興味深かったのだろうと思う。私たちは、少なくとも私は、大学の講義に、書物に記されてあるような知識の断片を求めているわけではなかった。私たちは、いや私は、大学の教師から何らかの「熱」を浴びたかったのだと思う。その「熱」に感応して、自分も何かをしたかったのだと思う。そして、松田先生には、研究者としての、教育者としての「熱」が間違いなくあった。

もしかしたら、その「熱」が……、とあるとき松田先生の死を知らされて私は思うことになる。松田先生の「熱」は、私をスペイン語にも、日欧交渉史にも向かわせることはなかった。しかし、もしかしたら、その「熱」が私を西に向かわせたのではないだろうか、と。事実、私は『深夜特急』の旅で、マカオ、マラッカ、ゴア、そしてリスボンと、松田先生の話によく出てきた都市を追い求めるように旅をしていた。松田先生の「熱」は、数年後に私の「旅する情熱」を生み出すことになる大いなる母胎であったのかもしれないのだ。

終章　旅する力

時が経《た》つにつれて、どうしてあの『深夜特急』の旅を無事に終えることができたのかという思いはますます強くなっていく。

たぶん、危険とすれすれのところにいたのだという気がする。しかし、絶対的な困難には見舞われなかった。

まず、大きな病気にかからなかった。一度だけインドで高熱を発したことはあるが、それもインドの丸薬を飲むと治ってしまった。

盗難にはまったく遭わなかった。いかにも金がなさそうに見えたからかもしれないが、盗まれるどころか、さまざまな意味での「施し」を受けることの方が多かった。

ただ、こういうことはあった。タイの田舎町で子供たちに取り巻かれ、いろいろおしゃべりした。もちろん、私はタイ語が話せないので、ジェスチャーをしたり、英語の単語を並べたりするだけだったが、しかしそれでもなんとか意思の疎通《そつう》ははかれた。

そして、楽しい時間を過ごし、彼らと別れてしばらくして、私のバックパックにつけられていた根付けが消えているのに気がついた。子供たちの誰かが盗んでしまったのだ。

それは私のガールフレンドが出発前にプレゼントしてくれたものだった。私は大いに落胆し、彼女に手紙を書いた。しかし、日本に帰ってから、彼女に笑われてしまった。まるで、この世が終わったかのような残念がりようだったけれど、それはその子供たちの一種の親愛の情の発露だったのではないのかしら、と。

言われてみれば、バックパックにつけていた根付けくらい、むしろ逆にこちらからプレゼントしてあげてもいいくらいだった。逆に言えば、盗まれたものといえばそれくらいだったというほど私は幸運だったのだ。

深刻な病気にもかからず、大事なものの盗難にも遭わず、致命的な事故にも巻き込まれなかった。

それだけではない。

ポール・ニザンが『アデン　アラビア』で《一歩足を踏みはずせば、いっさいが若者をだめにしてしまうのだ》と言ったのは二十歳についてだったが、それは若者のすべてに、若い旅人のすべてに言えることでもあるのだ。私は結果としてその「一歩」

を踏みはずさずに済んだ。そのことを含めて、私には「運」があったと思う。

だが、そのすべてを「運」に帰すことはできないかもしれない。

幸いなことに、私にはそのような旅をしていく上での適性、あえて言えば「力」があったような気がする。

ひとつは、「食べる力」である。

前にも述べたが、私は小さい頃からまったく好き嫌いのない子供だった。食卓に出されたものはなんでも残さず食べた。知り合いの家でごちそうになってもまったく同じだったので、ほんとうにおいしそうに食べる子だと言われつづけてきた。別に無理をして食べていたわけではなく、どんなものでも本当においしかったのだ。それは、ユーラシアの国のどこに行っても変わらなかった。

この「食べる力」と同じく「呑《の》む力」というのもあった。それは単に体質の問題にすぎないのだが、私にはどんな酒をどれほど呑んでもあまり酔わないというところがある。だから、旅先でどのような酒を勧められても、楽しく呑むことができた。それが、ちょっとした人間的な関係をもたらしてくれる切っ掛けになったりもした。

それ以上に大きかったのは、私が人と関わることを面倒がらないというところだったかもしれない。昔から、私は人の話を聞くのが好きだった。ノンフィクションの書き手として、アシスタントに取材を任せて原稿だけ書くなどということを好まなかったのは、自分のいちばん好きなことを人に任せるのはもったいないと思っていたからだった。

それとまた、私は、旅先で、よく人に訊《たず》ねるらしい。あるとき、外国でスポーツイベントの取材をしていて、私の様子を見ていた編集者に感心したように言われたことがある。

「沢木さんは、すぐ人に訊《き》くんですね」

そう、すぐに人に訊いてしまうのだ。ユーラシアの旅のときはガイドブックがなかったから、必然的にさまざまな局面で人に訊かなくてはならなかった。その癖が抜けないのか、たとえガイドブックを持っていたとしても、すぐ近くにいる人に訊いてしまうのだ。

ダウンタウンに行くのはどのバスに乗るのですか。ここを真っすぐ行くと鉄道駅に出ますか。この近くにチャイニーズ・レストランはありますか……。

その方が手っ取り早いということもあるが、そこから旅が思いがけない方向に発展する可能性があるということを知っているからでもある。

私には「食べる力」や「呑む力」と同じように「聞く力」と「訊く力」があったようなのだ。

確かに私の旅には「運」があった。そして、そこには運だけでなく、「旅する力」もあった。

だが、旅は私の旅する力を確認させてくれるとともに、その力の不足を教えてくれるものでもあった。

幸運を英語で「luck」という。しかし、その中の「u」を「a」に変えただけで、「lack」、不足という言葉になってしまう。「lack nothing」だと、欠けているものは何もない、必要なものはすべて揃《そろ》っているという意味になる。

私は、旅する力のいくつかは持っていたと思う。しかし、それは「ラック・ナッシング」というほどのものではなかった。むしろ、旅を続けていく中で、自分の力のなさを痛感することの方が多かった。

語学の力はもちろんのこと、通過していく国々の歴史や文化についての教養も、政治や経済に関する知識も欠いていた。なにより、存在としての力が同世代の他の国の若者と比べて小さいと感じつづけていた。

旅をしている中で摩擦が起きる。それはその国の言葉を話すことのできない私のせいだと自覚していた。その国に住んでいる人は、その国の言葉がしゃべれればいいのだ。訪れた国で快適に過ごそうと思うなら、旅人がその国の言葉を話さなくてはならない。

たとえば、私はソフィア・コッポラが監督してアカデミー賞の脚本賞を受賞した『ロスト・イン・トランスレーション』に拒否反応を示したが、それは、日本に闖入《ちんにゅう》してきたにすぎない主人公のアメリカ人が、意思の疎通がはかれないのは自分がその国の言葉をしゃべらないからだという自覚をまったく欠いていたからだった。自分が理解できないからといって、相手を笑い者にするのはフェアーではないと思ったのだ。

私も旅先で言葉がしゃべれないため摩擦を起こすたびに腹を立てたりしたが、根底のところではそれは自分のせいなのだと思っていた。

言葉の問題だけでなく、旅は自分の力の不足を教えてくれる。比喩《ひゆ》的に言えば、自分の背丈を示してくれるのだ。私の肉体的な背の高さは、他国の同じ世代の旅人に劣ることはなかった。しかし、人間の力としての背丈が足りなかった。

この自分の背丈を知るということは、まさに旅の効用のひとつなのだ。

あるとき、クライマーの山野井泰史氏と対談していて、サラリーマンがリストラに遭ってしまったり、会社が倒産してしまったりというようなことがあった場合、多くの人が動揺して立ちすくんでしまうのはどうしてだろうという話が出てきた。そのとき、私たち二人が一致したのは、「問題は予期しないことが起きるということを予期していないところにあるのではないか」ということだった。サラリーマンだけでなく、人間が生きていく上では、予期しないことが起きるということを予期しているかどうかということが、とても重要になってくる。

山を登るとき、クライマーはさまざまなことを予測する。天候の変化についての予測を立て、登ろうとしているルートのシミュレーションもする。この斜面を登るときにはどうしたらいいかなどということを、写真や文書による情報だけでなく、麓《ふもと》からの目視による状況の読み取りといったものによっても予測する。しかし、実際に登ってみると、思いもよらないこと、たとえば下からでは見えなかった大きな瘤《こぶ》があったり、凹《へこ》みがあったり、あるいはツルツルで手や足が掛からないところが出てきたりという局面に遭遇する。そのとき、「あっ、予期しなかったことが起きてしまった！」と動揺するのではなく、まず「こういうことは常に起きうることなんだ」と思うことが、予期しないことに対処する力を引き出す第一歩になるのだ。

たとえば、旅をしていて、誰かと知り合う。そう、外国を旅していて外国人に「家に来ないか」と誘われたとしようか。さあ、そのときどうするか。

ひとつは、絶対にそんなことを言う奴は悪い奴に決まっている、きっと悪巧みをめぐらしているに違いないと判断してついていかない。もうひとつは、人はすごく親切なものだし、せっかくの機会なのだからと喜んでついていく。その二つとも旅行者の態度としてありうると思う。

私だったらどう考えるかというと、世の中には基本的に親切な人が多いし、そんなに悪い奴というのはいないと思う。しかし、同時に、悪い奴はきっといるとも思う。そう考える私は、どこまで行ったら自分は元の場所に戻れなくなる可能性があるかという「距離」を測ることになる。そして、私は自力でリカバリーできるギリギリのところまでついていくと思うのだ。もしかしたらそれは相手の家の庭先までかもしれないし、居間までかもしれない。もし女性だったら、二階の部屋まで入ったら、もう戻れないかもしれない。要するに自分の力とその状況を比較検討し、どこまで行ったなら元の所には戻れなくなるかを判断するのだ。そういうことを何度か繰り返していると、旅をしているうちにその「距離」が少しずつ長く伸びていくようになる。

実際、旅は偶然に満ちている。さまざまな種類の偶然が旅を変容させていこうとする。たとえば、いくら厳密な予定を組んでいたとしても、予期しなかった事態に遭遇して変更を余儀なくされそうになる。まるで砂の城を洗う波のように、偶然が幾重にも押し寄せ予定を崩していこうとする。そのとき、大事なのは、あくまでも予定を守り抜くことと、変更の中に活路を見出《みいだ》すことのどちらがいいか、とっさに判断できる能力を身につけていることだ。それは、言葉を換えれば、偶然に対して柔らかく対応できる力を身につけているかどうかということでもある。

そうした力は、経験や知識を含めたその人の力量が増すことによって変化していくものだろうが、それはまた、思いもよらないことが起きるという局面に自分を晒《さら》さなければ増えてこないものでもある。だからこそ、若いうちから意識的に、思いもよらないことが起きうる可能性のある場というものに自分を晒すことが重要になってくるような気がするのだ。

そのためには、スポーツをするのもいい訓練になるだろう。スポーツは、自分だけではコントロールできない、思いもよらないことが起きるという中で、瞬間的にどう対処するのかということを判断していかなければならないものとしてあるからだ。もちろんスポーツマンにもつまらない人間はたくさんいるが、魅力的なスポーツマンというのは、たぶんそういう経験を多く積むことによって、自分の身の丈を高くしていった人なのだろうと思う。

そして、それは旅についても言えるような気がする。旅もまた思いもよらないことが起きる可能性のある場のひとつなのだ。それに対処していくことによって、少しずつその人の背丈が高くなっていき、旅する力が増していくように思われる。

何年か前、『深夜特急』の韓国版が刊行されることになり、「韓国版のあとがき」を求められた。そこで、私は次のような文章を書いて送った。

私にとって初めての外国は韓国でした。二十五歳のとき、飛行機が海を越え、半島の上空に差しかかった瞬間の感動は忘れられません。

――この地から、西に向かってどこまでも歩いて行けば、ヨーロッパに達することができるのだ。

もちろん、北朝鮮を通過することはできないでしょうが、そして当時は中国も自由な旅行者を受け入れていなかったので通過できないことはわかっていましたが、原理的には韓国からパリまで歩いて行くことはできるのです。なんとすばらしいのだろう……。

そのときの鮮烈な思いが、この『深夜特急』の旅を生み出したとも言えるのです。

この秋、私はネパールとチベットを往復する旅をしました。ヒマラヤにあるギャチュンカンという山に行くのが主目的でしたが、その途中で印象的な情景をいくつか眼にしました。

そのひとつは、何組かの自転車による旅行者とすれ違ったことです。彼らは、男も女も、老いも若きも、とてつもない高度差のある山道を必死に登り下りしていました。大部分は、ヨーロッパからのツアー客で、チベットのラサからネパールのカトマンズまでを自転車で下るというものでした。彼らは、旅行会社が手配した大型車に荷物を預け、体ひとつで快適そうにペダルをこいでいました。

しかし、そうしたツアー客とは別に、野宿用の大きな荷物を積んで、喘《あえ》ぎながらペダルをこいでいるサイクリストにも何組か出会いました。その中には、アジア系と思われる若者がいましたが、驚いたのは、その国籍が実に多様になっていることでした。かつて、私がこの『深夜特急』の旅をしているころは、シルクロードを移動しているアジア系の若者と言えば、ほとんどが日本人でした。ところが、この秋にチベットで出会ったサイクリストやバックパッカーは違っていました。

エベレスト街道をひとりで黙々とペダルをこいでいた若者のヘルメットには、韓国の国旗のシールが貼《は》られていました。ティンリからニャラムに向かう一本道では、自転車の荷台に中国の国旗を巻き付けた二人組とすれ違いました。また、チベットとネパールの国境付近では、旅の途中で知り合ったらしい若い日本のバックパッカーと香港の若い女性の二人組に話しかけられました。

日本だけでなく、多くのアジアの若者がアジアを旅するようになっている。そのことは実に新鮮な驚きでした。

そういえば、チベットの旅館や食堂の窓ガラスには、韓国の登山隊のステッカーがどの国のものより多く貼られていました。たぶん、クライマーだけでなく、韓国の若者たちは、かつて私がしたような旅を、ごく普通にするようになっているのでしょう。

しかし、そうした旅を気軽にできるようになった若者たちに対して、私が微《かす》かに危惧《きぐ》を抱く点があるとすれば、旅の目的が単に「行く」ことだけになってしまっているのではないかということです。大事なのは「行く」過程で、何を「感じ」られたかということであるはずだからです。目的地に着くことよりも、そこに吹いている風を、流れている水を、降りそそいでいる光を、そして行き交う人をどう感受できたかということの方がはるかに大切なのです。

もしあなたが旅をしようかどうしようか迷っているとすれば、わたしはたぶんこう言うでしょう。

「恐れずに」

それと同時にこう付け加えるはずです。

「しかし、気をつけて」

異国はもちろんのこと、自国においてさえ、未知の土地というのは危険なものです。まったく予期しない落とし穴がそこここにあります。しかし、旅の危険を察知する能力も、旅をする中でしか身につかないものなのです。旅は、自分が人間としていかに小さいかを教えてくれる場であるとともに、大きくなるための力をつけてくれる場でもあるのです。つまり、旅はもうひとつの学校でもあるのです。入るのも自由なら出るのも自由な学校。大きなものを得ることもできるが失うこともある学校。教師は世界中の人々であり、教室は世界そのものであるという学校。

もし、いま、あなたがそうした学校としての旅に出ようとしているのなら、もうひとつ言葉を贈りたいと思います。

「旅に教科書はない。教科書を作るのはあなたなのだ」

と。

沢木耕太郎

私が旅という学校で学んだことがあるとすれば、それは自分の無力さを自覚するようになったということだったかもしれない。もし、旅に出なかったら、私は自分の無力さについてずいぶん鈍感になっていたような気がする。旅に出て手に入れたのは「無力さの感覚」だったと言ってもいいくらいかもしれない。

いま、私はいかに自分が無力かを知っている。できることはほんのわずかしかないということを知っている。しかし、だからといって、無力であることを嘆いてはいない。あるいは、無力だからといって諦《あきら》めてもいない。無力であると自覚しつつ、まだ何か得体の知れないものと格闘している。無力な自分が悪戦苦闘しているところを、他人のようにどこからか眺めると、少しばかりいじらしくなってきたりもする。おおい、そんなに頑張らなくてもいいものを、と。

だが、そのように頑張ることができるのも、もしかしたら自分の無力さを深く自覚していたからかもしれないのだ。そこからエネルギーが湧《わ》いてくるからかもしれないのだ。

私が旅という学校で学んだのは、確かに自分は無力だということだった。しかし、それは、新たな旅をしようという意欲を奪うものにはならなかったのだ。

あとがき

ぽつぽつと紀行文を書くことはあり、山口文憲氏などには「旅の巨匠」などと揶揄《やゆ》されることもあるが、実はその紀行文を本にすることは『深夜特急』以来まったくなかった。

それが、あるとき、著作集に収録する作品を選んでいて、未刊の紀行の短編だけで一冊の本になるだけの量があることがわかった。

檀一雄が暮らしていたポルトガルのサンタクルスを訪ねた「鬼火」、キャパが愛したパリを歩いた「キャパのパリ」、スペインのマラガの居酒屋を再訪した「記憶の樽《たる》」、アトランティック・シティで世界ヘヴィー級のタイトルに挑戦するジョージ・フォアマンを描いた「象が飛んだ」、オーストリアのキッツビューエルで行われたワールドカップ・スキーの観戦記「落下と逸脱」、そしてヴェトナムについて連続的に書くことになった「メコンの光」、「一号線を北上せよ」、「雨のハノイ」の三作。

そこで、著作集の刊行前に、紀行の短編だけを集めた本を出すことにした。だが、そのすべてをひとつにまとめることのできるタイトルにはどんなものがいいだろう。私は、多くのミュージシャンのアルバム作りと同じように、スポーツの短編を集めた『敗れざる者たち』も市井《しせい》の人々を描いた短編集である『人の砂漠』においても、収録された一編をタイトルにするという方法を採ってこなかった。この紀行文を集めた本にも、収録された短編をひとつにまとめ上げるようなタイトルが欲しかった。

考えているうちに、ヴェトナムを描いた一編にすぎない「一号線を北上せよ」というタイトルが大きな意味を持って迫ってくるようになってきた。

二〇〇〇年、行こう行こうと思いつづけていたヴェトナムに初めて行くことができた。まず行ったのはホーチミン市である。そこにしばらくいるあいだに、次はホーチミン市とハノイ市をつないでいる国道一号線をバスで行ってみたらどうだろうというアイデアが生まれてきた。ホーチミンからなら北上だし、ハノイからなら南下ということになる。私はホーチミンから一号線を北上するというアイデアに取りつかれてしまった。そこで、次の年の冬に一号線を北上する旅をした。その旅では、バスに乗ってただひたすらに一号線を北上するだけが目的だった。そこで、アルフレッド・ヒッチコックの映画『北北西に進路を取れ』を念頭に置いて、紀行文のタイトルを「一号線を北上せよ」とした。

しかし、そのタイトルをあらためて眺めているうちに、こう思うようになったのだ。もしかしたら、誰にも「北上」したいと思う「一号線」はあるのかもしれない、と。もちろん、それが「三号線」でも「六十六号線」でもいいし、「北上」ではなく「南下」であってもかまわない。だが、とりあえずそれを「一号線」とし、「北上」とすれば、「北上」すべき「一号線」は誰にも、また、至るところにあるのかもしれない。行きたいと思っているところに行く。いや、それは旅に限ったことではない。したいと思っていたことを実現する。そのすべてが「一号線を北上」することではないのか……。

そうだとすると、「一号線を北上せよ」というのは、ひとつの作品のタイトルとしてだけでなく、この本全体のタイトルとなるほどの意味を持っているのかもしれない。なぜなら、ここに収録された作品の多くは、いつか行きたい、いつか見たい、いつかしたいと思っていたことを実現しようとする旅を描いたものだったからだ。

そう考えた私は、本のタイトルを『一号線を北上せよ』とすることにし、その中の一本として収録する予定の「一号線を北上せよ」を、サブタイトルの「ヴェトナム縦断」と変えさせてもらうことにした。

この本が出版されると、編集を担当してくれた講談社の小沢一郎氏とのあいだで、どうせなら「一号線を北上」するサイン会をしようということになってしまった。そして、実際、神戸、京都、名古屋、静岡、横浜、東京と日本の一号線を北上しつつサイン会をしていった。

その「ツアー」の最中には、印象的なことがいくつかあった。

ひとつは、名古屋においてだった。

サインを待つ列に小学生くらいの男の子が並んでいる。きっとお母さんかお父さんに頼まれて並んでいるのだろうと思ったが、その少年の順番が来たとき訊《たず》ねてみた。

「何年生？」

「五年生です」

少年はとてもはきはきしていた。

「お母さんに頼まれたの？」

「違います」

「ぼくの本、読んだことがあるの」

「あります」

「どんな本？」

「『深夜特急』です」

その答えを聞いて、列に並んでいる大人たちからどよめきが起きた。私も、本当だろうかという疑念がちらっと生まれた。

「読んで、わかった？」

すると、少年はこう答えたのだ。

「わかるところもあったし、わからないところもありました」

その答えを聞いて、この少年はたぶんきちんと読んでくれたのだなということがわかった。

「ぼくの本を読んでくれてありがとう」

そう言ってから、私はこう訊ねてみた。

「それ以外には、どんな本が好きなの」

村上春樹です、などと答えられたらどう対応したらいいだろうかなどと思いながら。

ところが、いままではきはきと答えてくれていた少年が急にもじもじしはじめた。

すると、列の外で遠巻きにして眺めていたギャラリーの中から声が掛かった。

「＊＊君、正直に答えなさい。『クレヨンしんちゃん』でしょ」

どうやら少年のお母さんらしい。その「すっぱ抜き」を受けて、少年が明るい声で言った。

「『クレヨンしんちゃん』です」

そこで、会場にどっと笑い声が湧《わ》き起こった。もちろん、私も笑った。しかし、笑いながらこう思っていた。『クレヨンしんちゃん』が大好きな少年にも読んでもらえている『深夜特急』という作品は本当に幸せだな、と。

もうひとつは、静岡でのサイン会場であったことだ。

私のサイン会では、サインをしているあいだ、相手の方に机の前に用意した椅子《いす》に坐ってもらう。そして、いろいろな話をしながらサインをすることになっている。その方がひたすらサインをしつづけるより手も疲れないし、どんな人が読んでくれているかもよくわかる。

その静岡で、列の中程に並んでいてくれていた若い男性が、ようやく順番がまわってくると、嬉《うれ》しそうに話しかけてきてくれた。

「お会いしたかったです」

「ありがとう、あなたはどんな仕事をしているんですか」

本にサインをしながら訊ねた。

「歯科医をしています」

それは意外だった。私は旅が好きな大学院生か入社何年目かの会社員かなと思っていたからだ。

「すると、あまり長期の旅行はできませんね」

私が言うと、その若い歯科医はいかにも残念そうにうなずいた。

「そうなんです」

そう言ってから、男性はこう続けた。

「だから、いまようやくローマに辿《たど》り着いたところなんです」

私はその言葉の意味がわからず、サインする手を休めて男性の顔を見た。

「ローマまで来るのに七年かかりました」

それを聞いて、一挙に理解できた。彼は、私の『深夜特急』のルートを、休みのたびに、少しずつ歩いているのだ。そして、七年分の細切れの休みをそれに充《あ》てることでようやくローマに到達したというのだ。

「もしかしたら……」

「ええ、あと二、三年でロンドンに着きたいと思っているんです」

それを聞いて、列に並んでいる人の中から嘆声が洩《も》れた。私もまた心を動かされていた。

時折、私の旅のコースをなぞって旅をしているという若者の話を耳にすると、もっと違う旅をした方がいいのではないかなと思うことが多かった。しかし、この歯科医の男性の旅は、ある意味で、私の旅以上に夢があるように思える。いいな、と思った。

そして最後の東京では、こんな女の子が私の前に坐った。

「来月、旅に出ます」

「どこに行くの」

「ヨーロッパからインドに下る予定です」

「どのくらいの期間?」

「半年くらいです」

「ひとりで」

「ええ、ひとりで」

「いま、学生なのかな?」

「いえ、先週まで会社に勤めてました」

「辞めたの？」

「ええ」

「インドに行くために？」

「ええ、旅に出るために。大学を出て四年間一生懸命働いたので、このあたりでひと休みしようかなと思って」

「ということは……」

「いま二十六歳です。沢木さんが『深夜特急』の旅に出た年齢と同じです」

私が『深夜特急』の旅をしているときに日本の女の子のひとり旅の姿を見ていると、どこか危うい感じがしたものだったが、その女の子には「この子なら大丈夫だろう」と思わせる強靭《きょうじん》さがあった。

「そうか……気をつけてね」

私が言うと、女の子が言った。

「でも、なんとなく行きたくないような気もするんです。もう行くのをやめちゃおうかなって。へんですよね」

それを聞いて、私は言った。

「少しもへんじゃないよ。ぼくも旅に出る前はいつもそんな気持になるからね」
「ほんとですか?」
少し疑わしそうに女の子が言った。しかし、嘘《うそ》ではなかった。そして、それはその女の子や私だけのことではないのだ。ジョン・スタインベックも『チャーリーとの旅』の中でこんなふうに書いている。

長い期間にわたって旅を計画していると、心中ひそかに、出発したくないという気持ちが起きてくるものである。私も、いよいよ出発の日が近づくと、暖かい寝床と居心地のよい家がしだいにありがたくなり、愛する妻がいいようもなく大事になってきた。こういうものを捨てて、恐ろしい未知のもの、心地よくないものを進んで取ろうとは、気ちがい沙汰に思われてくるのであった。出かけたくない。旅行を中止しなければならないような事態が起きてほしい。しかし何事も起きなかった。

これは長い旅に出ようとするときに、多くの人が味わう心境であるように思える。少なくともユーラシアの旅に出る前の私はそうだった。他人に言われるまでもなく、どうしてそんな旅に出かけなくてはならないのだろう、と何度自分に問いかけたかわからない。

だが、その答えはなかった。なかったから行くのをやめようかと思ったかというとそうではなく、なかったけれど行くことにしようかと思ったのだ。なかば憂鬱《ゆううつ》な気分を抱きながら。

このユーラシアの旅の直前ばかりでなく、それ以後も長い旅に出る前にはいつもそう思うようになる。

どうしても行かなくてはならないのだろうか。別に行かなくてもいいのではないか。行かなくてもいい理由をいくつも数え上げるのだが、どれも決定的な理由ではない。そうこうしているうちに行くと決めていた日が近づいてきて、仕方なく出発するのだ。

――参ったなあ。

内心そう思ったりするが、誰を恨むでもなく、行くと決めた自分の、いわば自業自得なのだ。

しかし、ひとたび出発してしまうと、それまでの逡巡《しゅんじゅん》は忘れてしまい、まっしぐらに旅の中に入っていってしまう。

私はスタインベックの話をしてからその女の子に言った。

「きっと君も、旅に出てしまえば、旅の中にすぐ入っていってしまうと思うよ」

「そうでしょうか」

女の子はいくらか安心したような顔になり、礼を言って席を立った。

すると、そのやりとりを聞いていた後ろの若者が、自分の番になると私に質問してきた。

「ぼくも来月、東南アジアに旅に出るんですけど、沢木さんは『深夜特急』のときはどんなものを持っていったんですか」

「特に変わったものは持っていかなかったけど……」

「医薬品なんかは？」

「ああ、それは近所の医者に抗生物質を出してもらって、それだけ持っていったなあ」

「雨具なんて持っていきました？」

「どうだったかなあ……持っていかなかったと思うけど……」

そう答えながら、その前の女の子の性根の坐り方と比べて、この若者の細心さ、用心深さはどうだろうとおかしくなった。しかし、よく考えてみると、私にその若者を嗤《わら》う資格はなかった。私もバックパックを前にして何を持っていったらいいのか悩んでいたことがあったからだ。いまなら、必要なものは旅先で買えばいい、できるだけ荷物は軽くした方がいいということを知っている。だが、そのときは、誰もそんなことを教えてくれなかったから、何を持っていくべきか必死に考えざるを得なかった。もし彼と同じような機会があったら、私も訊ねていたかもしれない。医薬品は、雨具は、パンツは、靴下は、と。

私はその『一号線を北上せよ』のサイン会をしながら、あらためて『深夜特急』について考えさせられることになった。

これまでも、『深夜特急』については断片的に書いたり話したりしてきた。しかし、読者から直接さまざまな質問を投げかけられ、さまざまな答えを返しているうちに、いつかそれらをひとつにまとめておこうという気になってきた。それには、読者からの質問に答えているうちに、少しずつ『深夜特急』について、ひいては旅というものについての理解が深まっていったということが大きかったかもしれない。

どうしてアジアからヨーロッパを目指したのですか。仕事を放棄して長い旅に出ることに不安はなかったのですか。日本に戻ってきてすぐに順応できましたか。どうして『深夜特急』を書くのにあんなに長い年月がかかってしまったのですか。どうしていつもひとりで旅に出るのですか。どうして……。

ここにはそうした質問に対する答えの一部が記されていると言えなくもない。しかし、韓国版の『深夜特急』の「あとがき」にも書いた通り、「旅に教科書はない」のだ。あとは、旅する人が旅をする中で自身の教科書を作り上げるしかない。

これまで、私は「深夜特急ノート」というタイトルを二度使っている。一度は、『深夜特急』の旅で使っていたノートに記された断章をまとめたものに、一度は、雑誌「コヨーテ」が『深夜特急』についての特集を組んだ際に寄稿したエッセイ群の総タイトルとして、である。

この『旅する力』は、「コヨーテ」の特集のために書いた十余りのエッセイを中心に、これまで断片的に書いてあったものも参照しつつ、ひとつの繫《つな》がりのある文章になるよう書き下ろした。

たぶん、これが「深夜特急ノート」というタイトルを用いた最後のものになると思う。

この本のアイデアは、『深夜特急』を編集してくれた初見國興氏との会話の中で生まれた。初見氏が新潮社を退職されてからは、新井久幸氏が相談相手をつとめてくれるようになった。新井氏もまた、初見氏と同じように忍耐強く待ちつづけてくれ、ようやくこのようなかたちでまとめ上げることができた。
装幀《そうてい》は平野甲賀氏にお願いした。いわば、『深夜特急』の最終便ともなるこの本の装幀家には、第一便から常に心が躍るような装幀をしつづけてくださった平野氏以外考えられなかったからだ。

二〇〇八年十月二十九日

沢木耕太郎

［対談］あの旅の記憶

大沢たかお
沢木耕太郎

大沢　ご無沙汰《ぶさた》しています。
沢木　この前お会いしてから、どれくらいになるかなあ。
大沢　二、三年になりますか。
沢木　あのとき、大沢さんが『ラストサムライ』のトム・クルーズと渡辺謙の演技についてとても印象的なことを言っていたのと、ちょうど撮り終わった『解夏《げげ》』の話をしたのを覚えているから……。
大沢　ということは、もう四年になりますね。
沢木　そんな前のことになるのかな。大沢さんは、最近もあいかわらず、映画を中心にした生活を送っているの？
大沢　基本的にはそうです。
沢木　いま上映しているのは『ＩＣＨＩ』、女座頭市の相手役だね。

大沢　ええ。それで、来年公開される予定なのが紀里谷監督の『GOEMON』です。

沢木　石川五右衛門？

大沢　紀里谷さんがどうしてもやりたかったテーマなんだそうです。

沢木　女座頭市の次は石川五右衛門か（笑）。

大沢　沢木さんはどんな仕事をしてらっしゃるんですか？

沢木　今年はね、いまこの対談をしている「新潮社クラブ」でずっと書き下ろしの本を書いていたんですよ。

大沢　ここで、ですか？

沢木　この二階に、いわゆる「カンヅメ」用の部屋があってね、昔からいろいろな作家が、長く逗留《とうりゅう》しては名作を生み出したり、まったく書けないで苦しんだりしていたんですよ。

大沢　そういうところなんですか、ここは。

沢木　そういうところなの、ここは（笑）。なにしろ、ここは神楽坂でしょ。「カンヅメ」になったのはいいけれど、夜な夜な呑《の》みに出てしまって、まったく仕事にならないという人も多くてね。僕も以前はそのクチだったけど、最近はあまり夜遊びをしなくなったので、きちんと仕事ができるようになったんですよ（笑）。

大沢　その本が、今度出されるという……。

沢木　そう、『旅する力』という本なんだ。旅についてのエッセイなんだけど、「深夜特急ノート」というサブタイトルがついているくらいで、なんといっても『深夜特急』の旅が中心になっているもんだから、『深夜特急』の最終便といったような感じもあってね。そこで、『深夜特急』が映像化されたときに「沢木耕太郎」の役を演じてくれた大沢さんと対談したらということになったわけ。

大沢　そうでしたか。

沢木　あの『劇的紀行　深夜特急』というのはテレビでは三回にわたって放送されたけど、いまはＤＶＤになっていますよね。

大沢　ええ、三巻セットになっています。

沢木　放送してからもうそろそろ十年になろうというのにまだ売れているらしくって、毎年原作料というのが送られてくるんですよ。ほんの少しですけどね（笑）。

大沢　あれは、出演者の僕のところにも送られてくるんです。ほんの少しですけど（笑）。でも、それって、とても珍しいことみたいですよ。テレビの番組のＤＶＤが十年たっても売れているなんていうのはね。あの作品はなんか特別のようです。

沢木　正直に言うと、その『劇的紀行　深夜特急』という番組を、放送のとき僕はきちんと見ていなかったんですよ。なんといっても、「沢木耕太郎」が大沢たかおで、その恋人が松嶋菜々子だなんて、とてもじゃないけど素面《しらふ》では見られなくてね（笑）。でも、今回、大沢さんと対談するというので、昨日はじめてＤＶＤで見たんですよ、ぶっ続けで。そうしたら、意外にも面白かった（笑）。

大沢　そうです、とても面白いんですよ（笑）。

沢木　あれって、二年くらいにわたって撮影されていたと思うんだけど、ＤＶＤの一巻目と三巻目では大沢さんの顔つきが違うんだよね。明らかに逞《たくま》しくなっている。

大沢　それは現場でやっている時から、自分でも意識していました。主人公が旅の過程でいろんなものを乗り越えていくことで、一皮も二皮もむけて男前に成長するという芝居しか見せられるものはないと思って臨んでいたようなところがあったんです。だから、見た目にわかりやすい変化をつけるため、最初の頃はわざと肌を白くしていました。撮影をしている間に自然に焼けていきましたけど、三作目の撮影の前には集中的に鍛えて、体が大きく見えるようにもしています。

沢木　そうなんだ、ぜんぜん知らなかった。

大沢　もちろん、旅をすることで少年というか青年が男に変わっていくんですけど、さらにそれをもう少しわかりやすくさせたかったんです。

沢木　なるほどね。それと、僕の旅で起きた出来事と大沢さんの旅で起きた新たな出来事がうまい具合に混ざっているのもよかったなあ。国際状況が変化して僕の旅とは別のルートをとっているけれど、それが少しも不自然ではなくてね。

大沢　でも、撮影中は常に沢木さんの『深夜特急』が心の支えでした。台本はありましたけど、監督をはじめ、同行スタッフ全員がそれぞれ原作を持って読みつづけ、毎日現場でアイディアを出し合っていました。新たに追加された場面もありますけど、それもすべて原作に出てくるエピソードにインスパイアされてのものはずです。

沢木　もうひとつ驚いたのは、三巻合わせて五、六時間にもなろうというのに、基本的に大沢さんだけが撮られていることでしたね。一人称なんだから当たり前といえば当たり前のことなんだけど、あんな長い時間、一人の人間をずっと追いかけている番組はそうあるもんじゃないでしょ。当人を目の前にして言うことじゃないけれど、あれは間違いなく大沢さんの存在感によって支えられていましたね。

大沢　スタッフには、もともとドキュメンタリーを撮っていた人が多くて、この企画に賭《か》ける情熱はすごく強いものでした。僕たちは現場でよく、『深夜特急』とはいったい何なんだろうと果てしなく議論をして、そのあげく熱くなり過ぎて激しいぶつかり合いになったこともあるくらいでね。そんな共同作業であると同時に、異国の地で過酷な撮影をするということは、自分自身とひとり向き合うことでもあるんですね。だからきっと、あの映像を通して、僕だけじゃなくて、監督は監督の、カメラマンはカメラマンなりの人生を表現していたんだろうと思うんです。その結果、それぞれが考える『深夜特急』や、旅そのものについての想いが溢《あふ》れ出てることになったんじゃないでしょうか。僕も自分の作品を見返すということは滅多にないんですけど、何年か前に久しぶりに見たら、やっぱり思ったんですよね。普通のドラマとはなにか力が違うって。

沢木　僕は自分の作品が映像化されるとき、権利を渡したら一切口を出さないと決めているもんだから、どうして大沢さんが僕の役を演じることになったのか細かい事情を知らないんですよね。どういういきさつだったんですか？

大沢　亡《な》くなられた久世光彦さんが代表の「カノックス」という制作会社が僕に声を掛けてくれたんです。初めて関係者やスタッフに会った時、目の前に広げられた大きな地図を見ながら企画を説明されたんですけど、その時点でもうわくわくして、「絶対やりたい！」と思いました。

沢木　でも、とても長い期間にわたって拘束されることというのは問題じゃなかったの？

大沢　ちょうど『星の金貨』というドラマに出演した後くらいでしたからね。
沢木　いわゆるトレンディードラマの俳優の道を歩んでいた。
大沢　ええ。でも、少し、僕の内部で、これでいいのかなという感じはあったんです。そんなときに、この『深夜特急』に出会ってしまったんです。
沢木　出会ってしまったんだ（笑）。そのとき、トレンディードラマを続けるという路線もありえたわけだよね。
大沢　ありました。
沢木　でも『深夜特急』を選んでしまった。それを撮り終わったあとで、トレンディードラマの方に戻ろうとはしなかったの？
大沢　いえ、戻ろうとしたんです。でも、戻れなかったんです。
沢木　どうして？
大沢　あれは『劇的紀行　深夜特急』の三作目を撮り終えた直後くらいじゃなかったかな。どうしてもそういう枠の中に入っていけないんです。以前から、そこで演技をしているんだかどうかわからないような芝居をしたいと思っていたんですね。それを『深夜特急』の中で存分に実験できる毎日を過ごしたあとでトレンディードラマの世界に帰ってくると、ハイそこで振り向いて「愛してる」と言ってください、みたいな芝居にどうしても入っていけないんですよ。そこから監督やスタッフの人たちと溝ができるようになってしまって。
沢木　僕は大沢さんに初めて会った時、線が細くてひ弱な印象があって、「この人で大丈夫だろうか」なんて実は思ったんだ（笑）。だから、最後の撮影があったロンドンで、祝杯を挙げようと会った時、随分と逞しくなったなと、まず驚いた。大沢さんは、もともとはモデルをやっていたんだよね？
大沢　そうです。大学在学中にスカウトされて、「メンズノンノ」というファッション誌にレギュラーで出ていました。
沢木　そうか、「メンズノンノ」が最初だったのか。「メンズノンノ」といえば、僕にはひとつ思い出があってね。ちょうどそれが創刊されるころ、酒場で出版元の集英社の社長と重役と「メンズノンノ」の編集長の三人とばったり会ったんですよ。社長が「こんどこういう雑誌を出すんだけどどう思う」と訊《たず》ねるんで、僕はこう答えた。「ノンノ」の会社が「メンズノンノ」を出すというのは戦略的にすぐれていると思うけど、「メンズノンノ」を読むような若者とは付き合いたくないですねって。そうしたら、社長も「俺もそう思う」って（笑）。
大沢　ハッハッハ。

沢木　でも、そこに出てくるモデルのことまでは考えなかった（笑）。

大沢　僕が出させてもらっていた頃の「メンズノンノ」は黄金時代で、毎月海外での撮影があったんですけど、その移動もファーストクラスだったりして、とにかく恵まれていました。そのうえ、ある程度のお金ももらえ、いろいろな人と出会え、タレントさん以上にチヤホヤされる。刺激もあって、それなりに楽しかったけれど、服を着てポーズを決めて写真に納まるというモデルの仕事自体は全然面白いとは感じてなかったですね。

沢木　でも在学中、パリコレに行ったんだよね？

大沢　あれは逃げたんです（笑）。

沢木　モデルの仕事から逃げるのにモデルの仕事をしに行ったということ？

大沢　というか、大学三年になって、本当は就職活動をしなければならないんですけど、それをしたくなくて、パリコレに出るということになれば逃げられるだろうと思ったんです（笑）。

沢木　実際、仕事はできたの？

大沢　二か月弱の滞在で、仕事になったのは結局「ヨウジヤマモト」のひとつだけで、それ以外はセーヌ河のほとりで昼寝していました。言葉もあまりしゃべれなかったから孤独でしたけど、外国にいるという妙な充実感はありましたね。美術館に行き、雰囲気のあるカフェに入ってコーヒーを飲み、市場に行ってみる。今考えると、いつもと違う空気感のところに自分を置くことで、違う自分が見えるといった楽しさを味わっていたのかもしれません。

沢木　その状況は僕の場合とよく似ているかもしれないな。二十六歳で僕が『深夜特急』の旅に出たのは、やっぱり逃げ出すためだったんですね。大学卒業後、偶然が重なって「書くこと」が仕事になりつつあったあの頃は、この仕事を一生のものだなんて思ってもいなかったし、かといって、進むべき方向もわからなかった。自分に猶予期間を与えるつもりで、とりあえず旅に出てしまったような気がするな。結局旅から戻っても、僕は同じように書き続けることになってしまったんだけど、大沢さんはパリから戻って、モデル以外の方向性は見つけられたの？

大沢　まったく見つからなかった（笑）。親からは「就職しないなら出て行け」と言われたので、渋谷の小さいアパートに引っ越してモデルを続けました。でも、「この仕事は一生の仕事ではない」という悩みや迷いはずっと消えないままでしたね。

沢木　それでどうしたの？

大沢　二十四、五歳の時、ある撮影現場で、楽しそうに話す仲間の会話にまったく入り込めない自分がいることに気がついたんです。みんな笑っていたのに僕だけが無表情で……。その夜、もう辞めようと決心しました。それから一年くらいは無職で、貯金がなくなりかけた時、かつてのマネージャーが「俳優の仕事をやってみないか」って声をかけてくれたんです。人前で演技する照れくささは拭《ぬぐ》えなかったけれど、生活のためもあってで始めてみることにしました。沢木さんと同じで、好きか嫌いかわからないままの選択でした。だから、そうした中で、比較的早い時期に、自分の代表作のひとつとなるような『深夜特急』に出会えた僕は本当にラッキーでした。

沢木　昨日DVDを見ていて思い出したんだけど、大沢さんたちが旅をしていた九六年というと、ちょうど『進め！電波少年』で「猿岩石」の二人が旅をしていた時期と重なっているでしょ。突然現れた彼らが自分たちと同じようなルートで旅をしていて先に話題をさらってしまった。それに対して焦《あせ》りやプレッシャーは感じなかった？

大沢　最初の頃は「猿岩石の真似《まね》だろう」みたいなことを冗談まじりに言われることもありましたけど、僕は全然気にしませんでした。僕たちは、撮影中、食中毒で次々とスタッフが倒れたり、僕自身、歯の激痛や胃痙攣《いけいれん》でドクターストップがかかったりしたけど、撮影を中断して日本に帰国しようとは一切思いませんでした。「ここで散るなら、散ってしまおう」というような、なにか突き抜けた覚悟のようなものができて、単なる仕事ではなく、自分自身のために旅をしているという気持ちになっていたと思います。

沢木 「旅を通じて人間として成長していく」という変化のようなものが生じたのかな?

大沢 『深夜特急』は僕にとって、変化をもたらしてくれたどころではなく、ある特殊な恍惚《こうこつ》感を味わわせてくれました。その後もたくさんの役をその時々で精一杯演じてきましたけど、『深夜特急』で感じたような特別な感覚まではなかなか手に入れられません。十年に一度か二度というような……。そのせいもあるのかな、モデル時代に急に笑えなくなったように、ある日突然、俳優という仕事に対して長距離ランナーのブレーキのようなものを起こしてしまうかもしれない、という恐怖心もなくはないんです。

沢木 このあいだ新聞で読んだんだけど、最近は俳優だけでなく、映画の制作の仕事もしているんだって?

大沢 ええ、少しだけですが、『ラブファイト』という青春映画の制作に関わりました。今の日本映画のようにリズムの良さだけで進んでしまうんじゃなくて、観客に「何かを考えてもらえる」作品、余韻とか間とかがある作品が作りたかったんです。

沢木　小品という感じの映画なのかな。
大沢　そうなんです。全国で三十館くらいでしか上映されないので、日本中を廻って三十館すべての映画館の支配人と会ってきました。
沢木　すべて？
大沢　ええ。支配人は二十代、三十代の若い人が多くて、会うと「この映画はこういう風に届けたいです」というような具体的な提案をしてくれるんです。俳優だけやっていたらわからなかったことばかりで、すごく楽しかった。もしかしたら今の時代には合わないものかもしれませんけど、若い人たちに見てもらえたら嬉《うれ》しいですね。
沢木　スケールは小さくてもいいから、どこか心に残るというような作品になっているといいね。
大沢　そのために、いまでもまだ編集上の問題で監督とガンガンやり合っているんです。
沢木　意外と大沢さんも頑固なんだ（笑）。
大沢　帰国後僕もよく聞かれましたが、「旅で一番印象に残ったのはどこですか？」と質問されませんでしたか？
沢木　挨拶《あいさつ》みたいに必ず聞かれて、僕はその時々で、香港と言ったりカルカッタと言ったり、イスタンブールと言ったりしていました（笑）。今はもうしばらくの間は立寄れないということもあるけれど、アフガニスタンに入った時の景色の美しさは忘れられないな。大沢さんはどの場所に強い印象を持ちましたか？

大沢　カルカッタに夜到着して、翌朝明るい陽のなかで初めて街の中を歩いた時はかなりの衝撃を受けました。太陽が燦々《さんさん》と照り、砂煙が舞うなかに、数え切れないほどの物乞《ものご》いや路上生活者がいる。そんな中で飲むチャイは、実に不思議な味がしたのを覚えています。何が善で何が悪か判別できない。カルカッタと置き換えられる場所なんて、世界中で他にないでしょう。

沢木　僕も、カルカッタでは、これまでとは別の「新しい世界」に入ったような感覚に陥ったし、きっと多くの人が同じように感じるんじゃないかな。

大沢　長い間海外を旅していると、自分を飾っている色んな物が剝《は》がれていって、自分というものが露《あら》わになるように感じることがありませんか？　隠している自分が徐々に見えてくるような。僕は自分で「孤独が好きだ」と思っていたけれど、実際は、「誰かと一緒にいること」に喜びを感じていたのだと、はっきりわかりました。

沢木　それはとても印象的な自分についての発見だね。僕は旅をする時はほとんどひとりなんですよね。ひとり旅の最も良い点というと、これは妙に聞こえるかもしれないけど、相棒がいないことだと思っています。話し相手がいないと自然と自分自身に向き合うことになるから、この風景の中で自分は何を感じたか、この土地についてどう考えたか、常に自分に問うことができる。それに、ひとりで異国を旅していると危機的な状況に直面する時もあって、そうした時にどんな行動ができるか、自分を試すというか、確かめることができる。

大沢　以前、沢木さんの乗っていた飛行機が墜落したことがありましたよね？　新聞の記事を見てびっくりしましたけど、あれはまさに危機的状況だったんでしょう？

沢木　うん、ブラジルのアマゾンで、乗っていたセスナのエンジンが止まっちゃって、そのままジャングルの中に不時着してしまったという……。

大沢　単純に、エンジンが止まって、そのまま墜《お》ちていったんだ（笑）。

沢木　片方だけプロペラが止まったんで、片肺飛行をしているのかとも思っていたんだけど、あっという間にもう片方も止まっちゃってね。でも、「墜ちるぞ！」って声がして、ガクッと機体が傾き出した時、不思議とパニック状態に陥ることもなかったし、「怖い」とも「悲しい」とも思わなかった。機体の負担を少しでも減らすために、パイロットの指示で扉を開けて荷物を落とさなければならなくなったときも、パイロットが嫌な奴《やつ》だったから彼の荷物を一番先に落として、自分たちの分は最後まで残しておいた（笑）。それくらい冷静だった。これまでの人生、それなりに楽しく生きてきたし、仕事に関しても「ぜひともライフワークを！」なんてこともなかったから、別に後悔することもない。命を失うかもしれないけど、別に大騒ぎをするほどのことでもないと思った。大沢さんはどう？　四十歳になった今、「急に命がなくなる」と言われたらどうなると思う？

大沢　ここ数年、父親を亡くしたり、自分の仲間が急死したりするようなこともあって、「死ぬときは死ぬんだ」と自然と思うようになりました。僕も、「なんとしても生にしがみつきたい」という感覚はないかもしれませんね。死んだ親父に謝りたいことがいくつかあるので、あの世で親父に謝れるなら、と思うと恐怖感は薄れていきますし。

沢木　お父さんには、謝らなくてはならないことがあるんだ。

大沢　ええ。でも、たとえそういうことがないとしても、旅先でアクシデントが起こった時、それほど動揺することなく対応できるような気もします。

沢木　なるほど。その感覚は僕と近いかもしれませんね。僕は旅を重ねるごとに、「危険を察知する力」と「危険を回避する力」が徐々についてきたと感じているんですけど、実際に旅の途上で危険に巻き込まれたとしても多少のことなら切り抜けられるように思います。
大沢　まさに、旅する力、ですね（笑）。
沢木　そう（笑）。ところで、大沢さんは最近どこか旅に出かけた？
大沢　仕事だったんですが、ベネズエラのギアナ高地に行きました。ロライマ山という三千メートル近い山に登ったんですけど、その頂上にはこの世のものとは思えない絶景が広がっていて……。
沢木　それはどのような光景なの？
大沢　言葉で表現するのは難しいんですが、真っ平らの土地が延々と広がっている頂上には、風や水、地面の揺れといった地球のエネルギーで浸食されてオブジェのようになった岩がごろごろしているんです。ある一帯では、岩がすべて動物の顔に見える。蛇やライオンや亀やゴリラや……。圧倒されながら歩いていたら、今度は古代ギリシャの神殿や古代ローマ遺跡のように見える岩が現れ、そうかと思うと子どもを連れて歩く人間の姿のように見えるものも出てくる。僕だけにそう見えるんじゃなくて、カメラマンやスタッフや、その場にいたみんなが同じように感じるんです。この山頂は「地球創世の際に一番初めに現れた場所」と土地の神話で言われているらしくて、まるで神様がこの地で地球創世の青写真を描いたかのような幻想的な光景のように僕の目には映りました。それと、このベネズエラの旅で嬉しかったのは、本当に久しぶりに『深夜特急』の時と同じような高揚を感じることができたことです。うまく説明できないんですけど、あのときの旅で感じた脳の感覚——スリングな興奮とか、周囲にまったく何もない！というような感じとかが、フッと蘇《よみがえ》ったんです。瞬間的なものでしたけど。

沢木 どうだろう、二十代の旅って、自分の中に濃密に残るような気がしない？『深夜特急』の旅は、僕の中でも一つの原型になっていて、その後どんな旅をしていても、年齢を重ねても、つい比較してしまうようなところがあるんだよね。

大沢 わかるような気がします。

沢木 このあいだ、百日間かけて中国を廻った時も、「この旅を二十代でしていたら、何を感じたのだろう」と思わずにはいられなかったな。香港から出発して、上海、昆明、成都、西安を経由して、シルクロードの果てのカシュガルという都市まで、やはり乗り合いバスを乗り継いで行ったんだけどね。どんな旅も年齢を問わずできるけれど、ある年齢でしかできない旅というものも、絶対あり得るんだよね。お金も経験もない二十代の頃に、焦燥感を抱えながら異国を歩く旅と、定年後のゆったりとした気持ちで出かける旅とでは、濃度や質がまったく違うような気がする。もちろん、どちらが良い悪いという問題ではなくてね。教訓的な言い方になってしまうけれど、人生のある時にしかできない旅に出かけてみることは、かなり大切なことじゃないかな。

大沢　僕が『深夜特急』の旅をした、二十八、九歳は、確かにその「ある年齢」だったと思います。あの旅は、かなりハードで苦しいものだったけれど、人生での大きな転機となりました。あの旅がなかったら今の僕はいないような気がします。

沢木　おかげで、苦しい道を歩んでしまっているかもしれないけどね（笑）。

（二〇〇八年十月）

この作品は二〇〇八年十一月新潮社より刊行された。

旅《たび》する力《ちから》

—深夜特急ノート—

新潮文庫　さ－7－57

平成二十三年五月一日発行
令和五年十一月二十五日十一刷

著者　沢《さわ》木《き》耕《こう》太《た》郎《ろう》

発行者　佐藤隆信
発行所　株式会社 新潮社
郵便番号　一六二—八七一一
東京都新宿区矢来町七一
電話　編集部(〇三)三二六六—五四四〇
読者係(〇三)三二六六—五一一一
https://www.shinchosha.co.jp

印刷・株式会社光邦　製本・株式会社植木製本所

ISBN978-4-10-123518-9 C0195